KB195902

조·영·숙·수·필·집

오 나의 태양

O Sole mio

조영숙 CHO YOUNG SOOK

· 경기여자 중·고등학교 졸업.
· 이화여자대학교 음악대학 성악과 졸업.
· 전 문성여자 중·고등학교 교사.
· 전 이천 양정여자 중·고등학교 교사.
· 전 포항실업전문대학 보육과 음악강사.
· 독창회 2회 세종문화회관 소강당.
· 국제펜클럽 회원, 한국문인협회 회원, 한국수필학회 회원.
· 수필집 『미완성교향곡』, 『봄의 소리 왈츠』, 『별은 빛나건만』, 『마왕』, 『사계』, 『새 생명, 기적』, 『오 나의 태양』
· E-mail : cho213311@naver.com

인쇄일 · 2020. 12. 15.
발행일 · 2020. 12. 20.
지은이 · 조영숙
펴낸이 · 이형식

펴낸곳 | 도서출판 문학관
등록일자 | 1988. 1. 11
등록번호 | 제10-184호
주 소 | 121-856 서울시 마포구 독막로 28길 34
전 화 | (02)718-6810, (02)717-0840
팩 스 | (02)706-2225
E-mail | mhkbook@hanmail.net

책값 · 15,000원

ISBN 978-89-7077-616-3 03810

조·영·숙·수·필·집

오 나의 태양

O Sole mio

| 책머리에 |

내가 고래 닮았나

독자 여러분! 특히 청소년 여러분!

나는 증손녀를 본 할머니에요. 작년만 해도 할머니 소리가, 젊은 척하는 내게는 듣기 싫었는데, 금년에 코로나19 시대를 맞으며 당당하게 스스로 할머니란 말이 잘 나와요. 코로나의 출현은 많은 것을 생각하게 돼요. 지구촌 사람들이 모두 두려워하고 있으니까요. 말세가 멀지 않았다는 생각도 들고요. 사람의 한계가 생생히 드러나는 현실이지요. 이럴 때 나는 영靈의 아버지께 회개하며 기도하지요.

'주여! 코로나 바이러스를 물리쳐 주소서'라고, 영의 아버지는 이 순간도 내 안에 계시며, 내 육肉이 흙으로 돌아가도, 나는 영의 아버지와 천국으로 가서 영생하는 것이지요. '우리의 죄를 대속하신 십자가의 보혈을 믿기만 하면 천국 백성이 됩니다.'

지구촌 청소년 여러분!

위의 이야기가, 이해가 되지 않으신 분들도 계시겠죠. 저의 삶을 통해서 100퍼센트 사실이란 걸, 깨달았습니다.

청소년 여러분!

깨닫게 되다 보니 삶이 얼마나 감사하고 기쁜지요. 기뻐할 수 없는 일에도 기뻐하지요. 책에도 나오지만, 나는 비교, 경쟁을 안 해요, 최선을 다할 뿐이지요. 나는 감동, 감격을 잘해요.

금년 추석은 코로나19로 뒤숭숭한 상태에서 집에 가서 가족과 지내지 못하고 원룸에서 밀렸던 글쓰기를 하고 있는데, 문자가 왔어요. 반가워서 폰 창을 여니, 젊은 시인의 글이었어요.

"권사님! 권사님을 생각하면 마음이 환해집니다. 권사님 같은 분과 한 하늘 아래 살아가노라면 따뜻해집니다. 사랑합니다. 고맙습니다." 10월 1일 이 글을 읽고 감동하여 춤을 추며, 이렇게 기도했죠. '주여! 시인이 보신대로 살게 하소서, 겸손의 동아줄을 꼭 잡고 주님만 바라보게 하소서.'

여러분! 주님을 만나면 항상 기뻐하며 꿈을 꾸면서 격려의 시선, 칭찬에 춤추게 돼요. 불안과 초조는 사라지고 당당하게 되지요. 할머니처럼….

2020년 10월 10일

조영숙

| 차 례 |

제2장 이승만 대통령은 친일파가 아닙니다

제3장 긍정의 시선으로

제4장 다시 읽고 싶은 작품들

제1장

올해의 마지막 일기

봄의 교향악이

봄의 교향악이/울려 퍼지는/청라언덕 위에/백합 필적에/
나는 흰 나리꽃 향내 맡으며/너를 위해 노래 노래 부른다/
청라언덕과 같은 내 맘에/백합 같은 내 동무야/
네가 내게서 피어날 적에/모든 슬픔이 사라진다/

이 노래는 이은상의 시에 대구 출신 박태준이 곡을 붙인 노래로 1922년에 탄생한 우리나라 최초의 가곡이다. '사우'라고 했다가 나중에 '동무생각'으로 제목을 바꾼 노래이다. 노래에 나오는 '청라언덕'은 대구 동산병원 주변에 있는 언덕으로 '대구의 몽마르트 언덕'이라고 불리기도 한다. 100

여 년 전 이 병원에 파송되었던 미국인 의료 선교사 중 한 명인 챔니스가 최초로 주택을 지을 때 캘리포니아 남부의 고향 담쟁이를 가져와서 심었던 것이 100여 년의 세월이 흐르는 동안 무성하게 자라서 언덕과 선교사들의 고택을 덮고 있어 청라언덕을 이루고 있다. 선교사들의 집은 스윗츠 주택, 챔니스 주택, 블레어 주택으로 현재는 대구유형 문화재로 지정되어 보존 중이다.

나는 유년시절 친구들의 추억이 떠오르면 나도 모르게 이 노래를 흥얼거린다.

2차 대전 중의 추억

일제 강점기에 다니던 만주 초등학교 운동장에 서서 보면, 해는 허허벌판 지평선 아래 땅속에서 나오는 듯 뜨고, 질 때는 땅속으로 들어가는 듯한 느낌이 지금도 생생하다. 전쟁 중이지만, 초등학교 입학과 동시에 친구들을 사귀어서 추억이 진하게 각인되어 있다. 그때 장면을 내가 아닌, 다른 사람의 어린 시절 영화를 보는 듯 즐기며 가끔 보고 있다.

"요시꼬, 빨리 방공호에 들어가자 사이렌이 울려."

"그래도 폭격은 안 해." 나는 방공호에 들어가지 않고 노랑 들 꽈리를 호주머니에 가득 채우고 의기양양했다. 아끼꼬가 "너, 선생님한테 방공호 안 들어갔다고 말할 거야." 나는 겁이 나서 꽈리 절반을 아끼꼬에게 주었다.

하굣길에는 구슬만한 튀김과자를 사 먹으며 같은 회사 사택 친구끼리 역마차를 타고 돔 같은 사택 문에서 내린다. 또 공습 사이렌이 울린다. 사택 안, 방공호에 들어갔다. 우리는 방공호 안에서 꽈리를 조물조물 비벼서 부드럽게 만들고 꽈리 껍질을 한 손에 모아 빙빙 돌려 꽈리 속 씨를 조금씩 뺀 다음 소리 내어 꽈리를 불며 놀고 있는데 해제 사이렌이 울린다.

해방을 전후하여

해방 직후, 만주에서 압록강까지 열차로, 그 이후는 평양까지 걸어갔다. 38선은 이미 가로막히고 고향으로 돌아갈 길은 막막했다. 어느 날, 아버지는 누군가와 소곤대며 어떤 아저씨에게 무언가를 건네주었다. 나중에 들은 이야기지만, 가로막힌 38선을 넘어갈 수 있는 비밀 길을 안내하는 사람이었다. 38선을 넘는 과정은 필사적이었다. 넘다가 발각되면 그 자리에서 총살 아니면 대나무 창으로 찔러 죽였다. 그 아우성 가운데서도 우리는 하나님이 도우셔서 손끝 하나 다치지 않고 38선을 넘어왔다.

서울까지 무사히 안착한 후, 나는 바로 청파동에 있는 효창초등학교에 들어갔다. 새로운 친구들을 사귀었는데 그 중 북에서 월남한 친구가 다행히 나와 친하게 놀아 주었다. 그 친구도 노래를 잘 불렀다. 우리는 갈월동 쌍굴 다리 안을 뛰어 다니며 노래를 부르곤 했다. 특히 비 오는 날이면 더했다. 우산 없이 놀 수 있는 장소니까. 집이 언덕 위에 있어서 한겨울에 눈이 내리면 언덕길이 썰매장이 된다.

친구와 나는 어른들에게 꾸지람을 많이 듣기도 했다. "쯔쯔, 어느 집 여식인지 시집은 다 갔네." 친할아버지도 걱정을 했다. 어른들이 걱정하는 이유를 나중에 알게 되었다. 그때만 해도 조신한 여자가 으뜸이던 시절이었다.

크리스마스 때가 되면 청파동 2가에 있는 성결교회에서 어린이부 찬양대원으로 열심히 찬양했다. 노래를 잘해서 미8군에서 나오는 초콜릿도 친구들보다 하나 더 받았다. 노래를 잘 부르던 두부 집 아이 조영자와도 잘 놀았는데 그 친구의 소식은 전혀 모른다. 우리는 봄이 되면 효창공원에 가서 놀기도 했다. 그 친구는 지금 어떻게 되었는지 알 수 없다. 그 시절이 생각나면 어느새 노래가 흘러나온다.

'봄의 교향악이 울려 퍼지는 청라언덕 위에 백합 필적에…'

나는 그 당시 친구들의 모습이 가물가물 보이는 듯하다. 그리고 계절에 상관없이 '봄의 교향악이' 노래를 흥얼댄다.

만주 땅에서의 추억이나, 서울에서의 어린 시절 생각은 시간이 갈수록 생생하다.

시어머니 생각이 난다. 어머니는 지금 내 나이에 돌아가셨다. 그 당시 나는 어머니에게 어머니의 어린 시절 추억담을 듣는 것이 일과였다. 그때는 지루했다. 그래도 처음 듣는 것처럼 들어 드렸다.

"나는 대여섯 살 때 누구하고 놀았고, 초등학교 때는 누구하고 놀았고, 중학교 때는 말봉이 하고 놀았고…” 나는 “말봉이요? 작가 김말봉하고 이름이 같네요.” “그래 바로 그 김말봉이야.”

어머니의 친정은 기독교 선교사들의 전도를 1차로 받은 가문이어서 어머니를 정신여중에 입학시켰다는 이야기를 들었다.

김말봉 작가의 이야기는 지루하지 않았지만, 지나치게 반복하니, 힘들었다. 그런데 요즘 내가, 시어머니처럼 시도 때도 없이 가족에게 옛 이야기를 하고 글에도 자주 올리니, 인생 하반기에는 그렇게 되나보다 생각하며 당시 어머니를 이해하게 되었다.

어머니도 어릴 때 배웠던 노래를 친구 생각하며 ‘봄의 교향악이’를 부르듯이.

보리밭 사잇길로

오늘이 중복이다.

매미소리가 요란하다.

무더운 탓에 봄바람이 그리워지면 포항의 보리밭 사잇길이 생각난다.

포항제철 창단멤버였던 남편을 따라 포항에서 살게 되었다. 봄이 되면 해변에서 불어오는 바닷바람에 드넓은 보리밭 풍경이 파도치듯 춤을 춘다.

동네 아이들은 보리피리를 만들어 불면서 신나게 뛰어다닌다.

하늘에는 뭉게구름이 두둥실 떠다니던 모습이 지금도

나의 뇌리에 한 폭의 그림처럼 남아 있다.

해변 숲속에 포항실업전문대학이 자리한 덕에 나는 언제나 출퇴근하며 그 아름다운 모습을 감상했다. 보리를 추수할 때가 되면 내가 살던 곳에서 조금 떨어진 보리밭 사잇길을 일부러 돌아가 버스를 타고 다녔다.

언젠가 내 글에 언급했지만 그곳에서의 학교생활은 꿈만 같다. 보육과 음악선생으로, 노래와 음악 이론을 겸해서 가르쳤다. 항해과와 기관과 남학생들과도 합창을 같이해 음악회를 열기도 했다. 여름철에는 남학생들이 수영복만 걸치고 교실에 들락거리기도 했다. 수업이 끝난 후에는 가끔 바닷가 모래사장을 거닐다 귀가하기도 했다. 그 시절을 추억하는 그림을 그려볼까. 과거로 돌아가는 타임머신 열차를 타볼까. 볼 수도 만질 수도 없는 물질세계가 아닌 것을….

그렇지! 추억이란 영적세계에서 정확히 볼 수 있는 것을….

찌는 듯, 무더운 날이지만 회상만으로도 이 시간 서늘한 봄을 만끽하며 글을 쓰고 있으니 추억의 보따리가 넘치는 나는 얼마나 축복 받은 연속극 이름처럼 '복단지인가.' 83

세의 나이테를 믿고 싶지 않지만 사실인데 어쩌라고? 자신을 인정하며, 나이 많은 것이 자랑도 아니지만 수치도 아니라는 것을 생각하면서도 때로는 자격지심도 생긴다.

추억이 아름다운 것만은 아니다. 기억하고 싶지 않은 일도 있다. 일일이 나열하고 싶지만, 그 즉시 회개한 탓에 재론은 안 한다. 허물의 보따리와 우리의 죄를 대신 지신 예수님께서 십자가에 못 박혀 죽으신 뒤 사흘 만에 살아나셨고, 제자들과 이 땅에 잠시 계시다 승천하셨다. 수많은 사람들이 지켜보는 가운데 이 만화 같은 실화가 궁금한 분들은 성경의 구약과 신약을 읽어보시면 된다. 믿고 믿지 않는 것은 각자의 몫이며 하나님만이 아실 일이다. 믿지 않는 분들도 이 정도의 이야기는 다수多數가 알고 있지만 청소년들은 서기 2017년 전, 서기 1년의 시작의 의미를 잘 모르는 이들도 많다. 예수님 탄생일이 서기 1년으로 시작되었음을….

새삼스럽게 예수님 이야기가 나왔다. 노년이 되고 보니 평생 하나님의 뜰에서 살아온 것이 얼마나 감사한지! 특혜를 받은 삶이라고 자부한다.

원죄를 지니고 태어났지만 어릴 때부터 성전 뜰에서 살

아온 나는 집, 학교, 교회를 맴돌며 살았다. 그 습관은 가끔 언급했듯이 어린이 찬양대원으로부터가 시작이었다. 정확하게 이야기하면 초등학교 5학년 때부터 현재까지다. 6·25전쟁 때도 피란지에서 계속되었다. 뒤돌아보면 지구촌에 찬양을 하기 위해서 태어난 것 같다. 찬양과 나의 영육은 하나 된 듯 붙어있다. 연습하는 과정도 지도하는 과정도 지루해 본 적은 없다. 대만족의 삶이 지금도 지속되고 있다. 내 삶의 역사가 다 교회에서 이루어졌고 현재도 진행 중이다.

허물투성이인 나에게 크나큰 하나님의 은혜가 얼마나 감사한지 표현할 단어가 생각이 나지 않는다.

옛 추억의 실마리가 된 노래 '보리밭'은 본명이 박은종인 박화목 시인(1924. 2.15~2005. 7. 9)이 작사하였고 윤용하 작곡가(1922~1965)가 곡을 붙였다. 박화목 시인은 널리 알려져 있지만 윤용하 작곡가는 그렇지 못했다. 윤용하는 만주 봉천 등에서 보통학교를 마치고 독학으로 음악 공부를 했다. 정식으로 교육을 받진 않았지만 그는 '보리밭, 동백꽃, 나뭇잎 배' 등 우리에게 널리 알려진 명곡을 남겼다.

독실한 기독교 신자로서의 순수성 위에 서정적 멜로디가 그의 노래의 특징이다. 이렇게 좋은 노래를 남겨주신 두 분께 감사를 드린다.

연약할 때 우리 주님을…(1)

2019년 8월.

지구촌이 뒤숭숭하다. 지진과 기근, 나라와 나라, 사람과 사람의 갈등, 자신과의 영적 싸움 속에서 하루하루 살고 있다. 한편 나이테가 많아지고 보니 영육이 연약해짐도 느낀다. 어둠이란 놈은 가끔 다가와 "너도 언젠가는 죽어"라며 엄포를 놓는다. 순간 두려운 마음이 생긴다.

천지만물을 창조하신 하나님을 믿는다고 자부하며 살면서도 마음이 약해진다. 그럴 때마다 "어둠의 사탄아 물러가라"라고 외치며 기도드린다. 신기하게 두려움은 즉시 물러간다. 이런 일들은 평생 이어지고 있다. 내 힘이 아니고 주님의 은혜로 평안해지는 것이다.

성령님과 항상 동행하며 살고 있기 때문이다. 그러나 때로는 주님보다 앞서 나가 내 멋대로 결정하고 행동한다. 내 안에 성령께서 조용히 말씀하신다.

“또 앞서 가는구나.”

어느새 8월의 중순이다. 마음이 조급해진다. 11월 2일 ‘아이온 케드로스 콰이어’ 창단 음악회를 준비하는 과정이기 때문이다. 초교파 찬양단의 모임으로 이루어진 ‘아이온’이란 의미는 ‘지속적인’이란 뜻이 담겨있다.

평생 찬양사역을 할 수 있는 여건 주심에 감사드린다. 또 감사한 것은 꿈과 비전, 열정이 식지 않는다는 것이다. 그런 내 모습을 보고 노역이라고 생각하는 이도 있지만, 다수의 목사님들께서는 긍정의 시선으로 바라보신다.

특히 주님께서 연약해질 때 이 찬양을 부르라고 내게 주셨다.

“연약할 때 우리 주님을 간절하게 바라보아라”라며 다시 힘을 얻고 그날을 위해 최선을 다해 연습한다.

연약할 때 우리 주님을…(2)

2020년 4월.

'코로나19 바이러스'가 기승을 부린다.

전 세계가 두려움에 떨고 있다. 지구촌 인간의 나약함이 새삼 느껴진다. 죽음의 두려움, 바이러스 전염의 공포가 만물의 영장이라는 사람의 자존심을 송두리째 뭉그러트렸다. 지구촌은 의료진을 동원해서 치료제를 연구하고 있지만 아직은 없다. 78억이라는 지구촌 사람들이 모두 코로나에게 머리 숙인다.

"제발 떠나달라고."

주일예배를 비롯해 모든 예배를 온라인으로 본다. 노약

자는 외출을 삼가라고 하지만 나는 가까운 분당시민공원을 매일 2시간 정도 운동 겸 산책한다. 마스크 쓰기와 거리두기, 손 씻기를 철저히 하면서.

탄천이 흐르는 양옆 길은 노랑 민들레꽃이 수줍은 듯 들풀 사이에 숨어 있고 목련은 이른 봄에 위풍당당 얼굴을 내밀어 지나는 이들의 발걸음을 멈추게 한다. 탄천 다리 위의 벚꽃터널을 지날 때는 사진 찍는 이도 많다. 나도 핸드폰에 멋진 풍경을 담았다. 어느새 보랏빛 라일락꽃이 18세 소녀처럼 미소를 머금고 바라본다.

그들은 평화롭게 피고 지며, 우주만물의 주인이신 조물주의 지시대로 순종하며 일생을 보낸다. 코로나19에 떨고 있는 인간을 위로하며….

또 바이러스 때문에 연약한 마음이 잠시 스쳐간다. 그럴 땐 누가 듣거나 말거나 이름 모를 새들의 지저귐과 유유히 흘러가는 냇물소리를 반주 삼아 계속 노래 부르며 걷는다.

"연약할 때 우리 주님을 간절하게 불러 보아라"라면서….

여학생 왈츠

케드로스 콰이어 제5회 정기 연주회를 성공적으로 끝냈다. 집에 돌아와서 콧노래를 부르며 자신에게 "또 해냈네" 하며 격려했다. 나는 나를 사랑하기 때문에 잘하고 못하고를 따지지 않고 목적한 것을 이루었다는 점에서 기뻤다. 대단한 것을 성취하는 것을 목표로 하지 않는다. 하루 일과를 계획하고 나와의 약속을 지켰을 때도 스스로를 격려하며 행복해 한다.

나이테가 옛날 같으면 겨울 끝자락에 속하지만, 요즘은 장수長壽 시대라 나름 초겨울에 속한다고 생각하며 아직도 활발히 활동하고 있다. 음악과 글쓰기는 이 시간까지 내 삶의 대부분을 차지하고 있다. 그런데 내 또래, 아니 70세가 넘으면 보편적으로 나이 들었다는 생각을 하며 의욕 상실이 되어간다. "이 나이에 뭘 한다고"라며 꿈을 포기한다. 그런 친구들은 오히려 우려의 눈으로 나를 바라보며 "나이는 못 속여, 조심하며 다녀"라고 주의를 준다. 틀린 말이 아니다. 넘어져서 골절상을 당해 세상을 떠난 친구도 여러 명 된다. 노후의 삶은 스스로가 알아서 할 일이지만, 나는 마지막 날이 언제인지는 몰라도 떠나는 날까지 '계획하고, 준비하고, 실천하면서' 잔잔한 성취 속에 순간순간 보람을 느끼며, 신앙 안에서 매 순간 살려고 하며, 그렇게 살고 있다.

새해 들어 첫 방문지 소년원을 다녀왔다. 그곳에서 공부하는 학생들과의 만남은 언제나 설렌다. 오늘은 우리 교회 목사님은 기도를, 케드로스 콰이어는 찬양을 부탁받고 왔다. 강당에 들어가기까지의 절차는 삼엄했다. 몇 개의 철창을 지나야 했다. 10대들은 순간의 실수로 이곳에 와서 공부하게 된 것이다.

목사님 기도 후, 준비한 곡 네 곡을 불렀다. 찬양하기 전 나를 소개했다. 경직된 그들의 마음을 풀어주기 위해서다.

"저는 3학년 8반 할머니이고 단원들은 여러분의 엄마, 할머니뻘이고 피아노 반주자는 누나입니다." 소녀들은 박수를 치면서 깔깔대며 웃는다. 웃는 의미는 각각 다를 것이지만 경직된 모습은 풀어졌다.

첫 곡은 Sing alleluia, allelu!(Words and Music)를 불렀다. '하나님을 찬양하라'의 의미로 춤과 노래, 비파와 수금으로 '나팔 불며 찬양하라'를 반복하며 기쁘게 부르는 곡이다. 전주가 나오자 시키지도 않았는데, 찬양에 장단 맞추어 박수를 친다. 축제의 분위기다.

목사님이 말씀을 전하실 주제 '복 있는 사람'에 맞추어 황의구 작곡의 '복 있는 자'를 불렀다. '복 있는 자는 악을 좇지 않고 죄인에 길에 서지 아니하며 오만한 자의 자리에 앉지 않고 율법을 묵상하는 자로다.' 숙연해지는 분위기다. 지휘하느라고 소녀들의 모습은 보지 못했지만, 참회의 눈물을 흘리는 아이들도 있는 것 같았다.

이어서 김보훈 작곡 '사랑은 주님의 선물'을 불렀다. 이 노래를 마치고 소녀들을 향해 "다음은 '여학생 왈츠'

를 불러드립니다. 여학생 왈츠는 프랑스의 발트토이펠(Waldteufel) 작곡으로 경쾌한 곡입니다. 우리는 여학생, 학생들은 남학생 맞지요?" 폭소와 박수가 끊이지 않는다.

경쾌한 전주가 시작되자 약속이나 한 듯 곡에 맞추어 4분의 3박자 박수를 친다. 나는 돌아서서 지휘하며 노래와 발 춤을 추었다. 소년들의 손뼉 치는 소리와 그들의 신나는 모습이 금방이라도 뛰어 나와 춤을 출 것 같다. 노래가 끝나자 앙코르 소리가 요란하다. "한 곡 더 들려드릴게요. 사실은 여러분이 앙코르 안 하면 우리가 알아서 더 부르려고 했어요." 폭소가 쏟아져 나온다.

흑인 영가 '나는 시온성을 향해 가겠네'를 그들을 바라보며 지휘했다. 곡의 템포가 빠르고 가사 내용도 좋아서 그들도 계속 손뼉 치며 신이 났다. 그런데 몇 아이는 눈가에 눈물이 맺혀있다. 나는 그들에게 노래하며 다가가 손을 잡아주었다. 마음이 아팠다. 그들은 할머니를 그리워하는 것 같았고 회개하는 눈물 같기도 했다.

그들은 미래, 나라의 주역들이다. 철부지 청소년들이다. 누구의 탓으로 그곳에 간 것일까. 내 손자가 아니라고 기성인들이 자유로울 수가 있을까? 그들은 그렇게 자랄 수밖에 없는 환경과 여건이었을 것이다.

단원들 모두는 그곳을 떠나면서 잠시 숙연해진 가운데, 그들이 그래도 우리와 함께한 시간에는 신나는 모습이어서 위로를 받을 수 있었다고 한다.

특히 '여학생 왈츠'를 부를 때는 낄낄대기도 하고 박수 치며 친구와 장난도 하며 경쾌한 모습이었다. 그 모습처럼 그들의 미래가 빛을 향해 당당히 걸어 나가기를 빌며 철문을 나왔다.

인생은 미완성

케드로스 콰이어 제6회 정기 연주회를 끝내고 돌아와 내가 나에게 질문했다.

"누구를 위한 찬양의 밤이냐"고.

연주 시작 전 "주님의 영광만을 위해 찬양하게 하소서"라고 기도했지만 돌아보니 온전한 영광만은 아니었다.

찬양하는 사이사이 박수를 받을 때마다 어느 정도 우쭐한 부분도 있었으니까.

2018년 10월 31일 수요일, 오늘은 마틴 루터가 종교를 개혁한지 501주년 되는 날이다. 연주회 날과 같아서 더 뜻

깊었다.

'온 땅이여 여호와께 노래하라'라는 곡을 시작으로 차분히 불러갔다. 곡이 끝날 때마다 관객은 박수를 아끼지 않았다.

중창과 독창으로 이어질 때마다 이 권사의 나레이션은 곡의 흐름을 은혜롭게 해주었다.

임 목사님과 내 차례가 되었다. 무대에 오를 때마다 긴장되는 것은 오늘도 전과 같다. 긴장을 풀고 분위기를 부드럽게 하기 위해 이벤트로 '에델바이스' 노래를 부르기 시작하며 단원들과 관객에게 같이 부르자고 손짓했다. 우리는 하나가 되어 신나게 불렀다. 목사님은 "아니, 왜 갑자기 순서에 없는 노래를 합니까? 나는 전문가가 아닙니다." 갑작스런 흐름에도 놀라지 않고 명 연기자답게 눈을 크게 뜨며 웃음으로 분위기를 맞추었다.

'인생은 미완성' 전주가 피아노와 현 앙상블로 시작되었다.

목사님은 가수 못지않은 드라마틱한 음성으로 '인생은 미완성 쓰다가 마는 편지 그래도 우리는 곱게 써가야 해'

이어서 내가, '사랑은 미완성 부르다 멎는 노래 그래도 우리는 아름답게 불러야 해' 이렇게 전반부를 부른 후 간주가 시작되는데 목사님은 앞만 보고 계신다. 나는 목사님 팔을 건드렸다. 날 바라보시라고. 중창은 서로 보고 불러야 맞출 수 있기 때문에…, 관객은 그 장면이 재미있었는지 폭소가 튀어나왔다.

목사님은 자연스럽게 다가와 어깨동무를 하고 부르신다.

간주가 시작되었는데도 자세는 그대로다. 마지막 부분은 느리게 불러야 하는데 자세는 그대로여서 목사님을 부드럽게 밀쳤다. 또 웃음바다가 되었다. 부르는 내내 명 연기자이신 목사님은 연기를 하듯이 매끄럽게 부르신다.

'인생은 미완성 새기다 마는 조각 그래도 우리는 곱게 새겨야 해' 끝부분은 깔끔하게 마무리했다.

앵콜 앵콜… 계속되는 앙코르 답례로 목사님은 '나의 갈 길 다 가도록 예수 인도 하시니'를 은혜롭게 부르신다. 마지막 절은 참석자 전원이 같이 불렀다.

오래전 발표한 수필집 『미완성 교향곡』이 생각난다.

남편이 지구촌을 떠난 후 너무 서러워 쓴 작품이다. 그

작품을 보신 신촌 장로교회 원로목사님이신 오창학 목사님은 다음에는 “완성 교향곡도 쓰세요” 하신다.

일곱 번째 책을 준비하며 완성 교향곡 표제로 할까 구상 중이다.

인생은 미완성이나 하나님의 나라는 완성된 곳이기에….

임동진 목사님과 함께

시아버님의 찬양소리

1960년 2월 13일 결혼 후, 우리는 약 2년 동안 부모님과 같이 살았다. 새댁인 나는 새벽마다 시아버님의 찬양소리를 듣고 잠을 깼다. '지난밤에 잠 잘 자게 해주시고….'

지금 생각하니 아버님의 새벽 찬양은 천국의 나팔소리였다. '깨어 기도하라는'…(제 수필집 『마왕』에 '나의 시아버님 김형원 목사'에 대한 이야기는 상세히 기록되어 있어 생략한다. 일제 때 독립운동하시다 옥살이를 하셨다. 38선이 나뉘자마자 목사님들을 처형하기 시작한 북한에서 탈출, 김포에 안착해, 김포 장로교회 목사로 추대되었다. 현재 순희 권사 친정식구가 그 교회에 다녔었다.)

사후, 시부모님과 남편은 신촌 동산 좁은 방에 세 분이 잠들고 계셨다. 당시 우리는 아버님 유언대로 독립유공자 신청을 하지 않았다. 그러나 세월이 흐른 후, 시누님 아들, 외손자가 어느 책에서 외할아버지의 업적을 보고 추진하게 되었다.

현재 김형원 목사와 오경신 사모 유해는 현충원에 계신다. 그곳에 모시기까지, 신촌교회 사무장님과 외조카가 전적으로 도와주었다.

"감사합니다. 조카 내외 고마워~."

다음날, 시인이신 사무장님께서 장편의 시를 보내주셨다. 아름답고 감동적인 시를 반복해 읽으며 오직 주님 안에서 항상 모든 이들에게 긍정의 힘을 불어 넣어주시는 젊은 시인에게 감사하며 여기에 그의 글을 올립니다.

거룩한 이별 뒤에 애틋한 사랑

'광탄에서 시부모님 내외를 떠나보내면서
거룩한 이별이라고 생각했습니다.

자식 내외는 죽어도 함께하고 싶었지만
하나님이 귀하게 쓰시던 성민들이라,
마땅히 그들이 가야할 처소로 보내신 것이지요.

하지만 앞으로는 파주의 하늘을 이불 삼아
남편 분을 온전히 소유한 채 복에 겨운
영면을 누릴 수 있게 되었으니 이 사랑
역시 예사롭지 않아요. 거룩한 이별, 애틋한
사랑에 함께할 수 있어서 저는 기쁩니다.

2020년 8월 20일 목요일

김용원 드림

김용원 목사님 가족

호스피스 사랑방

지구여행을 끝맺음하고 갈아탈 열차를 기다리는 사랑방 손님들은 그들의 가족과 아쉬운 이별의 순간을 묵묵히 기다린다. 케드로스 콰이어는 그들을 보내는 순간, 토스티의 기도와 천국을 묘사한 아담스의 거룩한 성을 불렀다. 환우들은 평안한 모습으로 '아멘'으로 화답한다.

가족들은 박수로 화답하며 울먹이는 이도 보인다. 나는 그들에게 힘을 주는 흑인 영가 '나는 시온성을 향해 가겠네'를 손뼉 치며 부르기 시작했다.

호스피스 사랑방 손님들은 천국행을 확신하면서도 잠시의 헤어짐이 슬픈 것이고 한편 두려움도 있을 것이다. 나도 주님이 언제 오라 하실 지는 몰라도 그날을 생각하면 두려운 마음도 솔직히 있다. 그래서 항상 이런 기도를 드린다.

"주여~! 내 영혼이 육肉을 떠날 때 사부인의 어머니같이 떠나게 하소서~

평생 찬양하며 사는 나에게 내가 떠날 시간을 알게 하소서, 천사들 마차에 감사하며 올라 탈 수 있도록…."

영靈과 육肉이 분리되는 순간인가보다. 가족의 울음소리가 들린다. 이 순간 사랑방 한 손님은 무거운 육의 옷을 벗어버리고 무지개 풍선 타고 하늘로 향한다.

친애하는 Chantal에게

반가워요 Chantal!

몇 달 전, 어느 분의 소개로 우리가 친구가 되었는데 아직 서로를 잘 모르고 편지도 주고받지 못했지요. 그래서 나는 찬탈이 궁금해 할 것 같아 오늘 나를 먼저 소개하기로 했어요.

나는 한국에 사는 80이 넘은 할머니예요. 몇 달 전, 어느 분의 소개로 친구에 대한 이야기를 듣고 감격하여 내가 먼저 찬탈을 소개해 달라고 부탁했어요. 이제 11살인 찬탈의 삶은, 나에게는 충격이었어요. '어머니와 동생들을 위해 르완다 음웨지 사업장에서 일하고 있는 가장이라는 것

을…'

어느 날, 소개한 분이 찬탈의 사진을 보내주셨어요. 찬탈의 모습을 보는 순간, 환한 미소와 자신만만한 모습이 믿음직스러웠어요. 나는 곧 나의 어릴 적, 아니 현재까지의 삶을 돌아봤어요. 나 자신만을 위해 살았던 것 같아요. 물론 결혼하고 삼 남매도 낳고 모두 성장해 결혼하고 손자 손녀도 많은 할머니이지만 가족을 위해 찬탈처럼 희생한 적은 없는 것 같아요. 그래도 가족은 나를 이해하고 있어요. 나보다 가족이 철이 든 거지요.

사랑스러운 찬탈!

찬탈은 줄넘기 놀이를 좋아한다고 했지요. 이 할머니도 노래하는 것과 글쓰기를 좋아해요. 찬탈에게는 증조할머니 같은 내가 아직도 하고 있어요. 이 편지를 찬탈이 받아 보는 순간 깔깔대며 웃을 것 같아요. '파파 할머니가 노래하고 글 쓴다는 것을…' 웃는 귀여운 모습이 보이는 듯해요.

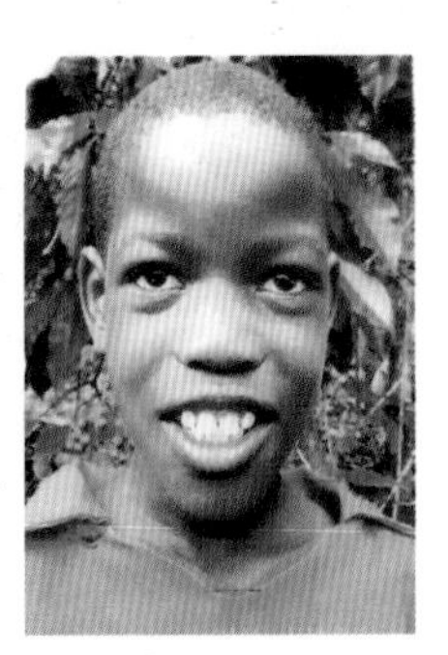

찬탈(Chantal)

참! 찬탈의 꿈은 의사가 되는 것이라고 했나요? 꿈의 내용이 무엇이든 희망을 갖고 차분히 실천하면 반드시 꿈은 이루어져요. 가족을 위해 가장이 된, 나의 친구 찬탈! 이 할머니는 잊지 않고 기도할 거예요. 찬탈의 이야기를 알고 있는 사람들이 모두요.

"하나님, 찬탈의 꿈이 이루어지기를 기도합니다. 그리고 어머니와 동생들, 온 가족이 언제나 건강하기를 기도합니다."

– 한국의 조영숙 할머니가

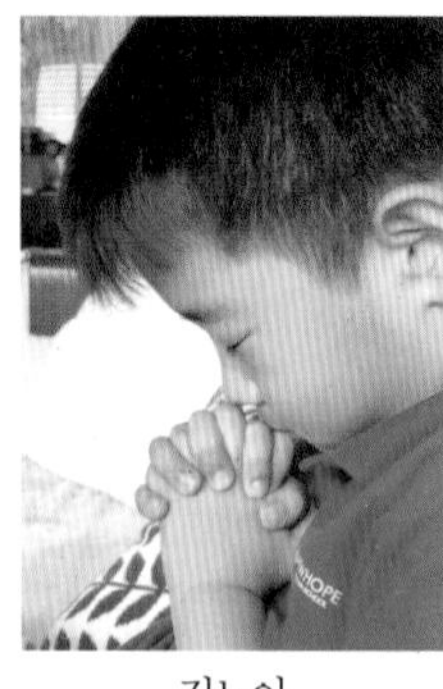

김노아

이 글을 찬탈에게 보내려고 썼는데, 관계 기관에서 보내는 것을 원치 않아 이 책에 소개한다.

몇 년 전에 사귄 친구라 얼마나 컸는지 보고 싶다. 소개자를 통해 가끔 소식은 듣지만 직접 볼 수 없으니, 계속 찬탈을 위해 기도할 뿐이다.

"찬탈이 꼭 의사가 되어 봉사하는 사명, 감당하게 하소서."

최고의 자랑

삶 속에서 자랑은 생활의 활력소다. 자랑은 금물이라고 하는 성직자나 학자도 있지만, 그분들도 우회적으로, 누군가가 인정하고 칭찬을 해주면 기뻐할 수도 있다. 그러나 '진정한 겸손'의 삶을 살기 위해서는 어느 목사님이 설교 중에 말씀하신 "성도 여러분 진정한 겸손을 배우려면 두 개의 약을 드세요, 구약과 신약"을, 나에게는 평생 잊을 수 없는 설교였다.

어린 아이들을 보면 누가 가르치지도 않았는데 장난감을 선물 받고는 친구들에게 자랑한다. 사춘기가 되어서도 "엄마가 이 옷 사 줬어"라고 말한다. 가난하게 살고 있는 친구에게도, 친구가 부러워한다는 생각도 못하면서….

세월이 유수같이 빠른 것이 아니고 뒤돌아보니 번개같이 빠르다.

어느새 증손녀까지 본 내가 유·소년기를 지난 지 엊그제 같은데, 거울을 보니 파파 할머니다.

그러나 코로나의 등장으로 마스크를 쓰고 다니니 나이에 비해 조금 젊어 보인다. 늙은 것을 인정하고 자연스럽게 순응하고 살면 좋으련만 아직도 젊은 척하고 다니는 내 모습이 얼마나 가여운지….

이제는 조금 철들었는지 사춘기 때 상대방의 입장을 모르고 자랑했던 것들을 회개하며 속으로 용서를 구한다. 그러나 2020년 9월 13일 주일, 글을 쓰는 이 순간도 성령님이 내 안에 계심을 알면서도 나를 위해 나를 기준으로 생각하는 부분이 너무도 많으니 온전할 수 없는 내 자신이 부끄럽다.

"주여! 알게 모르게 은근히 자랑하는 내 모습, 주께서는 평생 보고 계심을 알고 있습니다. 주여! 저를 불쌍히 여기사 주님의 약, 구약과 신약을 매 순간 먹고 마시며, 오직 주님의 딸이라는 '최고의 자랑'만 하게 하소서. 나를 구원하신 우리 구주 예수 그리스도의 이름으로 기도드렸습니다. 아멘."

'자랑은 자신을 나타내는 것, 온전한 겸손은 오직 예수 그리스도 뿐.'

작가의 산책로(이화여자대학교)

귀향한 친우 사라 목사

침대에 누웠다. 길가에 가로등 빛이 방안에 들어와 잠들기 좋을 정도의 밝음이다. 어제 귀향한 사라가 환하게 웃고 있다. 나는 "얼마나 그곳이 좋으면 그렇게 평안한 모습으로 웃고 있니"라고 물었다. 생시 같았다.

2017년 11월 13일 월요일 새벽 전화가 걸려왔다.

"나야, 언제 올래."

"내일 갈게."

"내일, 오늘 와. 여기 일산 병원인데 3개월 치료하면 뼈가 붙는데." 친구가 골절상을 당해 입원하여 나를 찾는다.

언제나 월요일은 밀렸던 일, 나만의 시간을 위해 살고 있다. 'K41콰이어'의 합창 연습도 매달 월요일에 한두 번 하기 때문에 시간을 비워둔다. 그래서 내일 가려 했는데, 오늘은 유별나게 조른다. 할 수 없이 오후에 가기로 했다.

오후 5시경 사라에게 갔다. 병실에는 백 장로(남동생)가 누나를 돌보고 있었다. 우리는 잠시 이야기 나누고 내가 친구를 위한 기도를 했다. 사라는 사이사이 방언을 했다. 나는 그의 방언 기도를 처음 들었다.

친구의 모습은 항상 그랬듯이 평안과 기쁨이 넘치는 모습이었다. "골절상이니, 3개월 후면 뼈가 붙는데."

"그래, 네가 회복하면 우리 듀엣 연습하자. 다음 케드로스 콰이어 연주회 때 나도 너랑 찬양하고 싶어서 그래. 우리 대학 1학년 때 내가 다녔던 청암교회에서 '들장미 향기롭게'를 특송한 것 생각나지?"

"재는 그때가 언제인데 까마득한 옛날 얘기를."

"어느새 60년이 지났네."

이런저런 이야기를 나누다 "사라야, 나 가야 돼. 집에서 여기까지 왕복 5시간 가까이 걸려, 지하철이 바로 연결이 안 되면."

"그래 어서 가."

나는 지하철 안에서 생각했다. 그동안 병원을 들락거렸지만 오늘이 제일 컨디션이 좋아 보여 기뻤다. 약 한 시간쯤 왔을까 전화벨이 울린다.

"여보세요, 나야 어디쯤 갔니."

"몰라, 집에 도착해서 전화할게."

"네가 금방 가서 섭섭해 그래."

"알았어, 다음 주 시간 내서 또 갈게."

"응 꼭 와."

집에 도착하자마자 전화가 걸려온다.

"여보세요."

"동생입니다. 누나 갔어요."

"어딜."

"천국에요."

"어마 말이 안 돼. 이럴 수가…."

미래를 알 수 없다지만, 조금 아까까지도 컨디션이 좋았는데 너무 놀라 할 말을 잃었다. 자신이 떠날 것을 예측이라도 한 것일까. 알아들을 수 없는 '방언'은 고별인사라도 한 것일까.

그의 일생이 주마등처럼 떠오른다.

우리는 대학에서 만났다. 친구의 모습이 얼마나 아름다운지, 그의 별명이 백합이었다. 더 놀라운 것은 아르바이트를 하며 졸업했다. 우리는 믿음으로 친해졌고 절친이 되었다. 졸업 후 친구는 결혼하고 삼 형제를 낳았다. 경제적으로 넉넉한 집이었으나 기독교 집안이 아니어서 교회는 잠시 나가지 못했다. 그러나 남편의 사랑이 얼마나 큰 지 행복한 삶이 이어지고 탄탄대로를 걷는 삶이었다. 그리고 교회도 나가게 되어 믿음생활도 충실하게 하기 시작했다.

미래는 예측할 수 없는 것이라고 하지만 중년도 안 돼 남편이 세상을 떠났다. 워낙 부유한 집이어서 경제적으로는 걱정이 없었지만 그의 외로움은 점점 심해져갔다. 시댁의 유산으로 음악 홀을 만들려는 꿈을 꾸며 추진하다가 유산은 송두리째 날아가기 시작했다. 일생의 위기 속에 그는 하나님의 선택을 받고 신학대학을 졸업하고 음악 목사가 되었다. 세 아들은 주님 은혜로 목사, 선교사, 대기업의 중진으로 성장했다. 그러나 그는 언제나 아이들에게 미안하다며 “나 때문에 아이들이 고생하고 있어”라고 자책했다. 그럴 때마다 나는 친구에게 냉정히 말했다. “사라야, 네가 만일 재력가로 승승장구했다면 너의 일생, 아이들의 일생이 이렇게 대성할 수 있었겠니."

사라는 "그렇기는 하지만."

"사라야, 네가 언젠가 말했지. '장남 목사가 어머니 자책하지 마세요. 그 재산은 하나님의 것입니다.' 우리에게 잠시 맡겨 놓은 것이라고."

음악목사 생활은 철저했다. 지휘자로서 세계 각국을 누비며 수십 년을 다녔다. 고운 마음에 주 안에서 당당하게 살았던 친구.

"사라야! 넌 누구보다도 성공한 삶을 살았어. 네가 만일 재물을 유지하고 살았다면 그냥 부잣집 마나님으로 폼 잡고, 파티하고 살면서 어느 누구에게는 부러움의 대상이 될 수도 있었겠지만, 그건 평범한 삶을 살다가 때가 되면 흙으로 돌아갈 뿐이야. 사라야! 천국 동산에서 찬양하며 영생을 확인했을 널 생각하며 그곳에 안착한 너의 삶을 축하한다. 그리고 나도 너처럼 찬양과 전도용 글쓰기를 하며 주님 기뻐하시는 삶을 하나님이 허락하시는 그날까지 최선을 다해 살게."

삶의 모습은 다 다르고 정답도 없지만, 환경과 여건에 따라 우리는 성장하고 늙어간다. 요즘은 100년 장수시대지만 그것도 눈 깜빡할 사이다. 우리는 무엇을 위해 살다가 가야할 것인가. 그건 각자의 선택이다.

밤이 깊어간다. 성공적인 삶을 살다간 사라의 환한 모습이 아직도 스쳐간다. 생시같이….

어머니 백사라 목사와 아들 고태형 목사(미국)

찬양은 나의 쉼터

– 네게 찬양이 없었다면

허물투성이인 너를 찬양은 언제나 손잡아 주는구나. 구름 위에 떠도는 '거품'은 너의 성격인가? 자제해도 튕겨 나오고… '폼'은 네 자신이 굳이 없애려 하지 않는구나. 예쁜 것을 좋아하니까 그렇겠지. 그러나 다행이야, 폼의 노예는 아니잖아, 라며 조물주가 들어 주시길 바라면서 거북한 해명을 하지.

참! 너는 말이 넘쳐, 늙으면 말이 많아진다더니 네가 그 꼴이구나. 침묵은 반드시 금이 아니라고 말하면서… 그건 그래, 반드시 금이 아니지. 입 두었다 뭘 해, 할 말은 하고 의사표시는 해야지. 너같이 넘치지 않는 범위 내에서.

위 글은 내가 나에게 한 말이다.

습관이 되어버린 나의 일상, 나잇값을 하려 해도 되지 않는다. 나잇값을 생각해 본다. – 세상을 많이 살았으니 점잖아지란 말인데, 그럼 '점잖다'란 말은 무슨 뜻인가. '젊지 않다'란 뜻도 있다. 또 생각해본다. 나이 들었다고 점잖아야 할 이유가 있는가? 반, 반이다.

외모는 달라지고 나이테의 흔적은 이곳저곳 나타난다. 자신이 자신을 다스리지 못하는 노령에 물론 힘든 일도 생기지만, 나이테에 맞추어 영육이 연약해진다는 생각은 버려야 한다. 인생의 봄, 여름, 가을, 겨울 지나면 언젠가 가게 되는 것을… 나도 큰소리는 칠 수 없지만, 내 경우 이 시간까지 나이테를 잊고 산다. '타고난 인성 + 자란 환경 + 찬양 + 글쓰기 + 규칙적인 생활' = 나이테를 잊고 사는 이유다. 엄밀히 말하면 찬양이라는 쉼터에서 육의 양식을 먹듯이 영(생명)의 양식을 먹는다. 찬양을, 어릴 때부터 이 시간까지 부르며 살아왔기 때문이다. 언젠가도 언급했지만 인생의 황혼에도 찬양은 나의 기도이며 호흡이다. 일과 중에도 흥얼대며 찬양을 병행하면 피로가 엄습하지 않는다. 자신만이 느끼는 평안함이다.

2017년 4월 중순이다. 지구촌의 기후변화로 순서를 기다리며 차례로 피던 꽃들이 동시에 활짝 폈다. 사계절이 고루고루 있어, 아름다운 한국인데 꽃들도 질서를 잊었나보다. 오늘은 수내와 서현, 지하철역 사이에 시민산책길을 걸으며, 금년 11월 8일에 있을 케드로스 콰이어 제5회 찬양제를 구상하며 걷고 있다.

조물주가 내려주신 나의 최고의 선물은 영원한 쉼터, 찬양이다.

폼(form)

샤워를 하면서 써 놓은 글들을 하나씩 머릿속으로 점검한다. 어떤 글이 좋을까. 얼마 전 출간한 『마왕』을 읽고 어느 잡지사에서 원고청탁을 해왔기 때문이다. 마땅한 글이 생각나지 않는다. 새로 써야지. 궁리하다 '폼'이라는 제목을 생각했다. '폼'을 사전에서 찾아보니, 명사로서 '사람이 어떤 동작을 할 때에 취하는 몸의 형태' 또는 '자세'라고 되어있다. 그 밖에도 명사로서 '액체 표면에 생긴 거품, 포말'이 있고 동사로서 '거품을 일으키다'의 뜻도 있다.

나는 학창시절에 고전은 많이 읽은 편이다. 나름대로 일

기도 쓰고 중·고 시절에 시를 써내면, '찡깡'이라는 별명을 가진 선생님이 '햇빛'이라는 나의 시를 반에서 낭독해 주신 적도 있다. 그 시를 지금은 기억할 수 없지만 첫 머리는 생각난다. '깜짝아!'로 시작하는 시다. 선생님은 그 시의 첫머리가 좋다고 하시면서 읽어주셨다. 그 선생님의 기억은 폼을 잘 잡는 선생님으로 기억된다. 항상 멋지게 하고 다니셨다.

대학시절의 일이다. 신입생인 나는 어느 주말, 중강당 연습실에서 피아노 연습을 하고 교문 앞의 철길을 건너려는 순간, 뒤에서 "조 선생님" 하고 부르는 소리가 들려 돌아보니, 교회에서 찬양대원으로 같이 있는 이 선생이다. 그는 연세대 학생으로 가끔 내 실력도 모르고 톨스토이나 하이네 시집 같은 원서를 주며 읽어보란다. 나는 어이가 없지만 두 번은 그냥 받았다. 그리고 어느 날, 그 책을 겨드랑이에 끼고 명동 돌체 음악 감상실에 영시를 잘 읽는 실력파 친구에게 주기 위해 집을 나서려는 순간, 김 선생이 예고도 없이 대문 밖에서 기다리고 있었다. "갑자기 찾아 와서 미안해요. 시간이 되면 르네상스 음악실에 같이 가려고요" 한다. 나는 선약이 있다고 했다. 김 선생은 "그래요. 그럼 다음 주말로 해요"라며 책을 보더니 원서군요 한다. 나는 그냥 "네"라고 했다.

어느 날, 두 살 아래인 남동생이 내 책상 위에 '안나 카레니나'의 원서가 놓여있는 것을 보고 "누나 선물 받은 거야? 원서를 파는 곳이 없을 텐데"라고 말했다. 나는 "교회 친구가 자기 형이 미8군 통역관이라며 그 형이 구입해 준 것을 내가 책 읽기를 좋아한다고 선물한 거야"라고 했다. 동생은 "어렵더라도 단어를 찾아가며 읽어 봐"라고 했다. 나는 속으로 웃었다. 동생은 내 영어실력을 전혀 모르고 말하는 것 같았다. 그러나 나는 그 원서를 좋아했다. 책이 너무도 예쁘고 책 사이사이 그림도 아름다워 그 책은 친구에게 주지 않고 내가 항상 가지고 다니며 책 속의 그림을 펴봤다. 김 선생을 만날 때도 기다리는 시간에 그 책 그림을 보고 있었다. 김 선생은 "늦어서 미안합니다. 버스가 펑크가 나서요" 한다. 그는 의자에 앉으면서 "원서네요" 하더니 자기 말만 계속했다. 나는 그때 그림을 보고 있었다고 말할 기회를 놓쳤다. 그 시절 음악 책도 무거운데 그 책은 왜 끼고 다녔는지. '잘난 척하려고' 한 것도 아닌데.

세월이 흘렀다. 김 선생과 나는 결혼했고 남편은 결혼 후, 몇 개월도 안 돼 영국에 1년 동안 연구원으로 갔다. 일 년이라는 시간이 얼마나 길었는지… 같이 갔으면 생각했지만, 시댁에서 같이 보내주지 않은 것이 잠시 섭섭했다.

일 년이 지난 어느 날 남편은 소식도 없이 돌아왔다. 나는 "왜 연락도 없이"라고 투정을 부렸다. 남편은 "우리 아가를 두고 어디 마중을 나와, 날도 추운데" 한다.

남편이 가방을 연다.

나는 어이가 없었다. 시, 소설의 원서가 쏟아져 나왔다. 나는 "읽지도 못하는 원서를 왜 사왔어요" 했다. 남편은 "당신이 원서를 사 오면 기뻐할 줄 알았는데" 한다. 나는 "내가 어떻게 원서를 읽어요" 했다. 남편은 "원서 안나 카레니나는 그럼 폼으로 들고 다닌 거야" 하더니 얼마나 웃는지 끝이 없다.

나는 너무 창피해 하고 있는데 남편은 "그럴 수 있어. 웃어서 미안" 한다.

'폼.'

그렇지, 나는 허세는 싫어하지만 아름다운 폼은 좋아한다. 가끔 이 나이에도 "걷는 폼이 아름다워요"라는 말을 듣던가 "옷 입는 폼이 세련되어 보여요"라고 들을 때는 기분이 상승했다.

참! 폼의 뜻에 '액체의 표면에 생긴 거품, 포말'이라는 뜻도 있는데 나에게도 어떤 면에서는 거품이 가끔은 생기는 것 같다. 거품은 좋은 것이 아니니 필히 고쳐야 할 나의 단점의 한 부분이다.

비교를 하지 않고 사는 할머니
- 나도 팬이 있어…

청소년들이여!

얼마나 힘드세요. 특히 2020년 정초부터는 성경에서나 나오는 재앙 코로나19가 지속되고 있으니 증손녀까지 본 나도 처음 겪는 일입니다. 그러나 우리의 후손, 청소년들이여 힘내세요.

"어떻게?"

"이렇게요."

바보 같은 말일 수도 있고, 멍청하게 보일 수도 있고 결국은 자랑이 될 수도 있는 이야기입니다. 그러나 내 자신을 위해 글을 쓰고 있는 이 할머니처럼 살아보세요. 간단

합니다.

나는 나입니다.

창조주와 나와의 관계는 1대 1입니다.

창조주께서는 우주만물을 창조하시고 기뻐하셨습니다. 특히 지구촌은 '별 중의 별'로 하나님의 최고의 작품입니다. 아담과 이브로 시작해 현재까지 이르러 나와 여러분들이 동시대에 살면서 많은 경험을 한, 내가 도움이 될 수 있는 말을 할 수 있어 감사하고 기쁩니다.

여러분들이 행복할 수 있는 길.

비교하지 말고 자기가 가장 좋아하는 길을 찾아 즐기며 매진邁進하세요. 경쟁하지 말고, 서두르지 말고 한 걸음씩 꾸준히 걸어가세요. 선의의 경쟁은 이해할 수 있지만, 비교는 자신이 남보다 뒤떨어졌다고 생각할 때, 마음의 갈등이 생길 수 있고 좌절할 수도 있습니다. 심할 경우 자신을 쓸모없는 무능한 자로 여겨 의욕 상실할 수도 있습니다.

할머니가 이 순간까지 행복하게 살고 있는 것은 위에서

언급했듯이, 바보와 멍청이처럼 살면서 항상 당당했어요. 당당할 수 있는 이유는 주께서 항상 "넌 내가 가장 사랑하는 딸이야, 최고야" 하시며 인정해 주셨거든요.

나의 인생의 전반부는 음악의 모든 것을 하며 살았고, 후반부는 음악과 글쓰기를 하며 현재까지 살고 있지요. 아는 것도 별로 없으면서 용감한 성격입니다. 객관적으로 내가 나를 바라볼 때 한심할 때도 많아요.

청소년들이여!

내가 좋아하는 두 길을 꾸준히 즐기며 걸어 오다 보니 드디어 칠순이 넘어 아름다운 꿈이라는 CD를 발표했고, 수필집도 여섯 권이나 펴냈어요. 현재는 일곱 번째 수필집을 준비하고 있어요. 코로나 시대라 집에 머무는 시간이 많아 차분히 즐기며 글을 쓰고 있어요. CD와 수필집 발간 후, 반응은 다양하게 나왔습니다. "그 나이에 그만하면 잘한 거야"라는 평과 반대의 평이 있었지만 나는 혼잣말로 '실수하지 않고 잘했어. 아쉬운 점은 다른 나라 말의 발음이 좀 어색하게 들렸을 뿐이야'라고 합니다.

내가 평생 할 수 있는 두 길을 선택해 해낼 수 있었던 것은 다시 말하지만 비교하지 않고, 열정을 토대로 했기 때문입니다. "꼭 성공해야지"라는 부담을 갖지 않고 나를 억압하지 않으며 느림의 속도로 자유롭게 한 것입니다.

청소년들이여!

어느새 2020년 9월 16일 수요일이네요.

위 글을 읽고 이상한 할머니라고 생각도 되시지요. 내 손자 손녀들도 자랑하는 글은 쓰지 말라고 해요. 그래서 서두에 자랑이 될 수도 있다고 말한 것입니다.

청소년들이여!(할머니의 팬이 나타나 행복한 이야기)

금년 여름은 코로나19와 긴 장마로 모두가 힘들었지요. 어려운 상황이었지만 나는 시부모님 묘 이장 문제로 서류를 준비해야 하는데 폭우 속으로 다니는 것이 걱정이었어요. 그런데 젊으신 교우(시인)가 도움을 주셔서 가능했어요.

시인 교우는 면사무소로, 동회로 오가는 도중, 차 밖에 폭우와 차창이 뿌옇게 보이는 상황에서도 차분하게 운전을 하시며 누군가의 CD를 틀었어요. "와~ 제 CD네요?" 듬직한 그분은 "내가 권사님 팬입니다. 아내와 나는 차를 타고 다닐 때마다 권사님 CD와 팝가수의 이중창이 너무 좋아 계속 듣다보니 다 외웠어요"라며 같이 따라 부른다. 최고의 애창곡이라는 말에 나는 마음속으로 말했다.

'주님 감사합니다. 지구촌에 저의 CD를 들으며 감격해 하는 팬이 나타났어요. 그동안 많은 친지들이 차분하게 부르는 내 노래가 자장가 같이 편하다며 칭송도 했었지만 위 부부 같은 왕 팬은 처음이라고요.'

조영숙, '아름다운 꿈' CD

청소년들이여! 한 분에게 인정받는 것도 내게는 성공입니다.

수필집도 왕 팬이 있습니다. 요즘은 독서를 하는 사람이 드문 시대입니다. 그러나 제 책을 다 읽으시는 분들이 있습니다.

교우 이영과 숙, 그리고 캐나다에 사는 선이입니다. 숙은 다시 읽고 싶은 작품이 많다며 여러 번 읽고 독후감도 써 주었어요.

수필집도 왕 팬이 있어 행복합니다.

청소년들이여!

미안합니다. 결국은 자랑이 되었네요. 내심은 그것이 아닌데 할머니의 삶도 순탄한 시절만 있었던 건 아니었어요. 그러나 어릴 때부터 교회의 뜰에서 놀았어요, 지금까지 그 뜰에서 놀고 있으니 어느새 그분의 말씀에 익숙해져, 나는 그분 품안에서, 그분이 내 품 안에서 1대 1의 관계이지만 결국은 하나가 된 것이지요.

영육靈肉으로 사는 현재나 육肉의 옷을 벗고 죽음이 없는 천국에 가서도 언제나 주님과 동행하고 있는 할머니는 시도 때도 없이 감사와 기쁨이 넘쳐요. 그러나 매일 회개할 일은 반복되고 있어요.

청소년들이여!

미래 지구촌 주인공들이여! 사랑합니다.

비교하지 마세요, 경쟁하지 마세요, 직업에 귀천이 없습니다.

좋아하는 것을 선택해 꾸준히 노력하세요.

우주만물을 창조하신 하나님과 그의 아들 예수 그리스도를 믿으며 친구가 되어 보세요. 그분이 여러분의 길을 인도하시면서 여러분이 지구촌에서의 삶을 감사와 기쁨으로 살게 하실 것입니다.

올해의 마지막 일기

2019년 12월 26일 목요일 흐림.

어제 크리스마스 성탄 축하 예배 후, 샘물 호스피스에 다녀왔다.

생의 마지막에 있는 분들을 위로하고 천국을 소개하는 찬양을 불렀다.

'저 하늘에는 눈물이 없네, 거기는 슬픔도 없고 기쁨과 즐거움만 있네, 거기는 승리만 있네, 찬송만 있네, 고통은 모두 다 사라져 버리고 영광만 가득 차겠네. 세상의 근심

과 욕심은 사라져 버리고 우리의 주님과 함께 영원한 기쁨만 있겠네.'

연주 홀에서 듣는 환우, 동영상으로 병실에서 경청하는 환우의 모습은 평안해 보였다. 천국에 갈 준비가 된 듯 간간이 앵콜~ 앵콜하는 여유도 보였다.

우리도 언젠가는 육肉의 마지막 날을 맞을 것이다. 육으로 생각하면 슬프고 두려움이지만 영의 세계, 새 예루살렘을 확신하기 때문에 매 순간 성령님의 도우심으로 감사하며 살고 있다.

나도 어느 날 천국을 향하기 전, 호스피스 환우들처럼 환한 얼굴로 '저 하늘에는 슬픔이 없고 기쁨만 있네.' 찬양을 직접 부르며 가고 싶다.

제2장

이승만 대통령은 친일파가 아닙니다

위에 계신 나의 친구

글을 쓸 때마다 조심스럽다.

어느 날, 딸에게 "이번에는 이런 글을 쓸 거야"라고 말했다.

딸은 "엄마 글은 자랑으로 들릴 수도 있어"라고 한다.

'나는 자랑하려고 쓰는 것은 아닌데' 생각하며 나를 점검해 본다.

내 성격은 활달하다. 부끄러움이 없는 편이다. 누구와 비교하지 않는다. 모욕적인 말을 들어도 나의 영靈은 잠시 주춤하다가 섭섭해 하지 않는다. 반면에 예쁜 것을 지나치게 좋아하고 내 개성을 살려 과감하게 옷을 입거나 모양을 낸다. 나이 들어가며 말이 많아졌다. 고쳐야 될 부분이 많다. 결론은 철이 안 들었다. 그럼에도 감사한 것은 항상 의욕적이다. 계획을 하고 실천한다.

조물주는 이런 나를 빙그레 웃으시며 내려 보시는 것 같다.

어릴 때부터 친한 친구 한두 명은 있었다. 초등학교 때의 친구들 얼굴이 떠오를 때마다 혼자 웃곤 한다. 그 후의 친구들은 현재까지 계속 만나고 있다.

중1 때부터의 친구들은 70년이, 대학 때부터의 친구는 60년이 지났다. 지나고 보니 눈 깜빡할 사이다. 세월 앞에 장사가 없는지 세상 떠난 친구들도 많다. 매일 만날 수는 없지만 전화를 주고받으며 속마음을 말하는 절친이 떠난 후에는 잠시 슬픔과 어둠이 찾아와 힘들었지만 곧 어둠과의 싸움에서 위에 계신 나의 친구를 통해 승리했다.

한문에 사람 인人자가 있다. 두 획이 서로 의지하고 있다. 다 아는 이야기다. 인간은 나약하여 홀로 있을 때, 고독하여 외로움을 느낀다. 우울증으로도 발전한다. 요즘 들어서 노인 자살자가 늘어났다고 한다. 대가족시대가 지나고 핵가족시대가 되면서 생긴 일이다. 시대의 흐름을 막을 수는 없지만 슬픈 현실이다.

나에게는 내 생각까지도 들여다보는 친구가 있다. 그는 요술사 같다. 위급할 때 위급함을 막아주고 어둠 속에서 힘들어 할 때 그곳에서 탈출시킨다. 그 친구는 대가도 바라지 않는다. 무조건 베풀기만 한다.

첫눈이 내린다

2019년 12월 3일 화요일.

고마운 친구들을 만나기 위해 조촐한 선물을 사들고 야탑 지하철역에서 만났다. 친구 A는 이미 먼저 와서 기다리고 있다가 나를 반기며 "추우시지요" 한다.

나는 "아니요 첫눈이 내리니 얼마나 상쾌한지 몰라요. 오늘 일기예보가 맞았네요"라고 했다.

친구는 "역시 권사님은 소녀처럼 감성이 풍부하셔요" 한다.

나는 "철이 안 들어서 그래요"라고 했다.

우리는 각자 우산을 쓰고 친구 B사무실로 향했다. 아들뻘 되는 친구들이지만 내가 편안하게 대화를 할 수 있는 예술가들이다.

눈雪은 춤을 추며 날린다. 그들의 모습이 얼마나 아름다운 지, 눈을 감상하며 걷다가 미끄러질 뻔한 나를 친구가 놀라서 잡아 주며 "우산 접고 나를 잡고 가세요. 넘어지면 큰일납니다"라고 한다.

친구의 집까지는 약 10분 거리다. 친구는 눈 이야기를 하면서 가는데 나는 갑자기 학창시절 첫눈 내리던 새벽이 생각난다.

1955년 초겨울 대학생들의 특별 새벽기도회가 있던 날, 우산을 준비 못한 나에게 다가와 우산을 받쳐준 '수'*가 생각나 나의 영靈은 동영상 속에서 행복했던 그 시절을 만끽한다.

"권사님 길만 건너가면 돼요" 한다.

아! "벌써 다 왔어요?"

친구 B는 건너편에서 우릴 향해 손짓한다.

사무실에는 손님 맞을 준비를 해 놨나보다. 투명한 유리잔에 직접 갈아서 내린 커피 향은 우리들의 대화를 들으며, 박수를 치며 코끝에서 맴돈다.

오늘의 '첫눈' 추억은 예술가 A, B와 함께 영원히 기억될 것이다.

* '수'는 훗날 나의 남편이며, 현재는 천국에…

이승만 대통령은 친일파가 아닙니다

금년 광복절 행사 때, 광복회장 김원웅 님께서 이승만 대통령과 애국가 작곡가 안익태 선생님을 친일파라고 말하며 몇 가지 증거를 이야기했다. 나는 어떻게 저런 말을 전 국민 앞에서 당당히 말할 수 있나, 깜짝 놀랐다. 그분도 젊은 세대여서 역사의 왜곡을 들은 것일까?

엄청난 실언을 광복회장님이 모르신다면 이 글을 보시고, 친일파의 기준을 어디에 두셨는지 생각해 보셨으면 하고 씁니다. 그리고 안익태 선생님도 거론하셨는데, 그럼 일본 치하에 살던 사람들은 다 친일파입니까? 젊은 세대 분들도 제 글, 읽어보셔요.

"당시, 조선인들은 굴욕을 무릅쓰고도 피치 못해, 그 압제 속에서 살았어요. 그 당시 어느 목사님의 슬픈 이야기가 전해지고 있어요. 신사참배를 강요당한 목사님은 눈물을 머금고 신사 참배했대요. 당시 그곳에 대대로 내려오는 조선학교가 있었는데 신사참배 거부하면 그 학교를 일본인 학교로 만든다는 바람에, 조선학교를 살리기 위해 참배를 한 것입니다. 그 옆에서 참배하는 모습을 본 친구는, 그의 눈에서 쏟아지는 눈물 방울이 끊이지를 않았다고 말하며, 조선학교를 살리기 위한 굴욕의 고개 숙임이라고 말했습니다.

대를 위해 굴욕의 참배를 하며 살았던 사람들 모두를 친일파라고 한다면, 거의 모두가 친일파에 속합니다. 교계의 원로 고 한경직 목사님께서도 대를 위해 참배했다고 고백하셨습니다.

광복회장님! 회장님도 역사를 바로 재확인하셔서 역사의 왜곡을 막아주세요. 우리 후손들을 위해서… 그리고 저의 저서 『마왕』이라는 작품집에 「내가 본 이승만 대통령」이라는 작품을 다시 올립니다. 부끄러운 글이지만, 당시 이승만 대통령께서는 정동교회와 삼각지에 있는 육군본부교회

(박치순 군목님이 이끄시는 교회)로 오가시며 성수주일 하셨어요. 저는 당시 박봉배 지휘자님 지도 아래 찬양대원으로 봉사했기 때문에, 대통령에 대한 작품도 쓰게 되었습니다. 회장님, 꼭 읽어 보세요. 코로나 시대에 나라를 위해 수고 많으십니다. 감사합니다."

2020년 8월 15일 토요일

내가 본 이승만 대통령

나는 결혼 전 삼각지에 있는 육군본부교회에 찬양대원으로 있었다. 찬양대 지휘자는 군목이신 박봉배 지휘자가 하셨고 대원은 대부분 성악을 전공한 분들이었다. 이승만 대통령은 독실한 기독교 신자로 프란체스카 영부인과 함께 격주로 정동교회와 육군본부교회를 오가시면서 성수주일 하셨다. 대통령 내외는 강대상 밑 맨 앞자리에 평신도와 같이 나란히 앉아 예배를 드렸다. 성가대석은 신도석 오른쪽 앞에 자리하고 찬양을 했다. 예배를 드리는 모습은 언제나 정중했고, 부활찬양 예배나 크리스마스 예배를 마친 후에는 목회자 찬양대원들과 사진을 같이 찍으시고 은혜

받으셨다며 악수로 격려하시기도 했다.

나는 가끔 사진첩을 보며 그때를 생각하게 된다. 대통령 내외의 소박한 옷차림과 목사님을 향한 겸손한 모습, 신도들과 같이 입을 크게 벌리시고 찬양하시는 모습은 지금도 감격으로 이어진다. 너무나 힘든 시기였지만 대통령의 위치에서는 모든 것을 누릴 수 있을 것인데, 경무대(청와대)에서는 손수 못질하시는 모습을 봤다고 전해 들었다. 프란체스카 여사는 낡은 내복이나 옷을 기워 입으시고 나라의 힘든 살림을 걱정하시며 절약하는 내조를 하셨다. 항상 한복을 입으시고 조신한 모습이셨다.

대통령은 당시 이기봉 선생님과 박마리아 교수 사이에서 태어난 아들 이강석을 양아들로 삼으시고 교회에 같이 참석하시기도 했다.

이기봉 선생 일가의 비극은 역사의 기록으로, 다 아는 이야기지만 나는 그분들에게 연민의 정을 느낄 때가 있다.

이승만 대통령은 대한민국 초대 대통령이다. 그분의 발

자국은 오직 민족을 위해서만 걸으신 위대한 분이셨는데, 장기집권의 부작용으로 4·19가 일어났고, 그로 인해 하와이에서 생을 마감하셨다. 그러나 그분이 아니셨더라면 우리나라가 어떻게 되었을까. 상상만 해도 끔찍하다.

이승만 대통령의 공로를 요즘 젊은이들이 잘 모른 듯하여 김진홍 목사님의 글을 여기에 소개한다.

'겨레가 일본으로부터 해방된 지 75년, 대한민국 정부가 수립된 지 72년, 6·25전쟁이 일어난 지 70년이 지났다. 그간에 우리나라는 잿더미에서 일어나 세계 10대 경제대국으로 일어서는 기적을 일으켰다. 일본이 요즘은 '한국을 배우자'라는 캠페인을 벌이고 있다.

여러 나라에서는 한국을 배우기 위해 많은 사람들을 보내고 있으며 우리 국민이 자신들도 미처 모르는 사이에 이렇게 성장하여 선진국으로 가는 문턱에까지 올 수 있는 이유가 무엇일까?

미국 하버드대학에는 한국의 성공을 학습하는 과목까지 생겼다. 외국에서는 다섯 가지 이유를 한국의 성공 비결로 들고 있다.

첫째가 정치적 리더십(Political Leadership)이다. 정치적 리더십은 초대 대통령 이승만 박사로부터 시작된다. 2차 세계대전 이후부터 120여 개 나라가 신생 독립국으로 시작되었다. 신생 독립국의 지도자들은 대부분 사회주의 체제를 선호하였다. 그러나 이승만 대통령은 고집스럽게 자유민주주의를 선택하였다. 미래를 내다보는 남다른 안목이 있었기 때문이다. 이승만 대통령의 자유민주주의에 대한 고집스런 선택이 있었기에 우리는 북한과의 체제 경쟁에서 완전히 승리할 수 있게 되었다고 한다.'

위 글을 소개한 것은 우리나라가 자유민주주의 국가로 우뚝 서게 된 것은 초대 대통령의 옳은 판단이 기초가 되어 여기까지 왔다는 사실을 다시 한 번 말씀드리고 싶어서다.

코로나19로 뒤숭숭한 2020년, 연초부터 지구촌의 삶은 100세 넘으신 분들도 처음 겪는 일이라고 하며 두려워하고 있는 해이지만 광복 75주년 기념행사는 기쁨으로 진행되지 못했다. 광복회장께서 이 기쁜 날 실언을 했기 때문이다.

이승만 대통령은 친일파가 아니고 그분이 우리나라를 자유민주주의 국가로 만드신 업적을 높이 평가해야 한다. 그러나 4·19의 역사는 오점으로 남는다.

육군본부교회에서(이승만 대통령 내외분과 찬양대원들)

그분이 내 안에서…

2020년 6월 18일 목요일 흐림.

개성공단 폭파사건과 코로나19의 뉴스가 전 세계의 관심으로 지구촌이 뒤숭숭하다. 인간의 나약함이 처절하게 느껴진다. 천지를 창조하신 하나님을 믿는 나도 두려움은 수시로 찾아온다. 수개월 동안 코로나 바이러스 확산으로 교회도 온라인 예배를 드리고 있다.

그러나 공동체 예배의 경건함은 사라지고 안일한 예배를 드리게 되어 4월 마지막 주일부터는 교회에 참석하여 예배를 드리고 있다. 마스크 쓰기, 거리두기를 철저히 지키며 지하철을 타고 다닌다. 지하철 내 빈 자리를 찾아보지만 빈자리가 없어 힘들어도 서서 다닌다. 아직은 다리가 튼튼해 감사하다.

오늘은 평일 글쓰기와 찬양연습, 목사님들의 설교를 들으며 한나절을 보낸다.

목사님들의 말씀은 코로나19 바이러스는 아주 위험하고 강하다고 했다.

그러나 어느 목사님이 말씀하셨다. "코로나 바이러스를 조심은 해도 두려워하진 마세요. 오직 예수 주님만 바라보세요. 그분이 내 안에 내가 그분 안에 있으니 무엇이 두려운가요"라고….

오늘은 탄천 산책로에 오가는 사람들이 드물어 거리를 두며 걷기가 편하다. 내 친구 나무와 꽃들은 오늘도 나를 반긴다. 나는 친구들에게 말한다.

"성령님 내 안에서, 내가 성령님 안에 있으니 두려움이 없단다."

1+1=1 성령님 + 나 = 한 몸

낮에 나온 반달은…

2020년 3월 14일 토요일.

이른 아침 베이컨 에그머핀세트를 사들고 집을 향해 걷는다. 습관처럼 하늘을 바라본다.

"와! 이게 웬일이야. 하얀 반달이 아파트 지붕 위에 앉아 있네." 너무 아름다워 걸음을 멈추고 스마트폰에 반달을 담고 노래를 부른다.

"낮에 나온 반달은 하얀 반달은 해님이 쓰다 버린 쪽박인가요 꼬부랑 할머니가 물 길러 갈 때 치마 끝에 달랑달랑 채워 줬으면."

이른 아침이라 간간이 사람이 보일뿐, 반복해 불러도 듣는 이 없어 마음 놓고 부르며 아침을 만끽한다.

할머니의 모습이 떠오른다.

8월 15일 해방되던 해 가을, 내가 초등학생이던 그해 우리 가족은 아버지를 따라 만주에서 압록강까지 기차를 타고 와 그곳에서부터는 걸어서 평양 피란민 수용소 같은 곳에 도착했다. 사람들은 모두 긴장된 모습이었고, 빨간 완장을 찬 사람이 아버지 앞에 다가와 무슨 말인지 몰라도 귓속말을 하고 갔다.

다음 날 새벽 우리 가족은 어제 그 사람이 안내하는 산길로 따라갔다. 그는 이미 막힌 38선을 금품과 돈을 받고 길을 안내해 주고 돌아갔다. 그런 안내자들이 많은 사람들을 고향으로 돌아가게 했다.

처음 본 할머니 모습이 오늘 따라 생생하다. '해님이 쓰다 버린 쪽박인가요.' 노래를 부르는 순간, 흰 치마저고리를 입으시고 허리에는 주머니를 항상 매달고 다니신다. 부엌 물 항아리에서 물을 떠 드실 때는 쪽박으로 떠서 드셨다. 예쁜 할머니, 아버지가 할머니 닮아 미남이었나 보다.

집 현관에 들어서기 전, 반달을 보며 말했다.

"고맙다. 이 새벽 친구 해줘서. 널 만나면 항상 행복하단다."

후 회

세월이 흐른 뒤, 깨닫게 된 일이 가끔 생각난다.

나의 수필집 『봄의 소리 왈츠』 출판기념회 때의 일이다. 기념식이 끝나고 식사 전 와인 잔에 주홍빛 와인을 반 정도 따르고, 축하객들이 땡그랑 땡그랑 잔을 부딪치며 이곳저곳을 다니는데, 할머니를 축하해 주기 위해 학교도 결석하고 꽃다발을 안겨 준 손자가 그 모습이 좋아 보였던지 "할머니 나도 그 잔 줘. 땡그랑 치게." 나는 손주의 말을 들은 척도 않고 축하객들과 이야기만 하고 있었다. 그때부터 손자는 무안한 듯 조용히 앉아 있기만 했다.

아무것도 아닌 것 같은 이 사실은 수 년이 지난 지금 후회가 된다.

사람은 걸음마를 하고 언어를 배울 때부터 나름, 나이에 맞는 인격이 있다.

선악의 분별을 깨닫게 되고 기쁨 슬픔 무안함을 느끼게 된다. 서너 살만 되어도 이성을 느끼고 예쁘고 미운 것을 분별하게 된다.

호기심 많은 손자의 모습이 지금도 가끔 떠오른다.

"사랑하는 진아! 그때의 일을 너는 잊었겠지만, 할머니는 가끔 생각이 난단다. 정말 미안했다."

"할머니가 어느새 80대 중반이구나. 나는 평생 하나님을 믿으며 오직 예수님만 의지하고 살고 있음을 너도 알지? 그런 할머니가 아들 딸, 손자 손녀들의 마음을 헤아리지 못한 것이 얼마나 많은지~ 정말 미안하고 부끄럽다.

그러나 반듯하게 자라 준, 손자 손녀들! 고맙다 앞으로는 후회할 일 안 할게.^^ 사랑한다."

서로 다른 생각
– '내 영혼이 은총 입어'

수년 만에 세 자매가 모였다. 그들의 대화는 진지했다. 노년에 접어든 큰언니는 가운데 동생에게 말문을 연다.

"미스터 김과 아직도 잘 지내지."

"그럭저럭."

"무슨 답이 그래."

"김에게 여자가 생긴 것 같아."

"믿고 살아야지, 혹 네 짐작이 맞는다고 해도 널 위해 믿어, 희로애락 속에서도 너만을 바라보고 36년 동안 살고 있지 않니."

"시앗을 보면 부처도 돌아앉는다는데 어떻게 믿어."

"근거도 없이 짐작하는 말은 서로가 힘들 뿐이야. 김이 믿으라면 믿어야지, 김의 나이 60세, 너도 74세가 되었는데, 이젠 그리스도 십자가의 사랑을 생각하며 믿고 용서하며 살 순 없는지." 동생은 고개만 끄덕끄덕 한다.

큰언니는 생각한다. '동생이 38세 때 건장한 24세의 김에게 적극적인 구애로 결혼한 사이인데 사랑의 문제는 나이 들었어도 질투할 수밖에 없나 보다'라고.

큰언니는 5년 만에 만난 막냇동생을 향해 "몸이 좋아졌네"라며 말문을 연다.

"애처가 남편과 대학생이 된 세 딸과 행복하게 살고 있으니 얼마나 감사하니, 너의 깊은 신앙과 착한 마음이 아름다운 가정을 만들어 주신 것 같아."

"큰언니 말이 맞아, 다행히 아이들이 공부도 열심히 하고 용돈을 벌기 위해 아르바이트도 하고 있어. 부유한 가정의 아이들이라도 스스로 설 수 있는 경제적인 훈련을 시키거든."

"이젠 아이들도 다 컸으니, 네 꿈을 펼쳐나가면 어떻겠니."

"큰언니! 꿈의 기준, 행복의 기준은 여건에 따라 바뀌나 봐. 아이 셋을 키우며 살림을 하다 보니 주부의 생활에 잔잔한 행복을 느껴. 엄마로서 아내로서 내 자리를 성실하게 지키고 있다는 자부심이라고나 할까"라며 콧노래를 부른다. '내 영혼이 은총 입어' 찬양 마지막 부분 '초막이나 궁궐이나 내 주 예수 모신 곳이 하늘나라.'

큰언니는 생각에 잠긴다. 대학교수가 꿈이었던 막내가 왜 저렇게 달라졌을까.

큰언니는 막내의 말에 아무 말 못하고 동생의 깊은 신앙과 선함이 너를 '모든 것에서' '모든 곳에서' 자유로움을 얻게 했나보다 생각하며 주님께 감사한다. 그러나 큰언니는 한쪽 마음이 아리다. 막내의 명석한 두뇌와 꿈이 컸던 동생이 이제라도 꿈을 펼쳐 나가면 좋을 텐데 왜 새로운 도전을 마다하는지? 동생의 모습은 모든 것을 초월한 듯, 모습과 언행이 평안하다.

큰언니는 막내의 잊을 수 없는 말(주부로서의 잔잔한 행복)을 생각하며 다음의 두 가지 삶 중, 무엇이 행복의 기준인지 깊게 생각해 본다. 정답은 없겠지만 바람이라고나 할까.

모든 것을 다 갖추고 사는 애처가일지라도 자신의 삶의 기준에 따라 아내를 자신의 생활 방식과 기준에 무의식중에서라도 맞추어 살게 하는 것은 배려가 없는 것일까. 미처 생각지 못하는 것일까. 그래서 막내는 길들여진 것일까. 아니면 하나님 말씀에 순종하여 자신을 다 내려놓고 평화와 평안을 찾은 것일까. 후자의 생각이라면 얼마나 아름답고 지혜로운 포기인가.

큰언니는 자신의 경우를 생각해본다. 열애 끝에 결혼했지만 남편은 언제나 무관심한 듯한 답을 한다. 아내가 질문하면 "당신이 알아서 하구려"다. 아내를 앞장세우고 자기는 뒤편에 서서 아내를 보필하는 스타일이다.

그런 아내는 전공(미술)을 살려, 노령인데도 전시회를 열고 계속 그리기에 열중하며 나약해져 있는 어르신들을 모시고 개인지도에도 힘쓴다. 부부는 서로의 취미와 꿈, 비전을 인정하며 당당하게 살고 있다. 아내는 항상 밝고 명랑하다. 어찌 보면 철들지 못한 것처럼.

큰언니는 막내의 경우를 생각하며 기도를 드린다. 하나님이 주신 달란트가 많은 동생에게 이제라도 재능을 발휘해 하나님이 원하시는 적극적인 취미나 봉사에 참여하며 살 수 있도록 아내를 극진히 사랑하는 제부가 밀어주기를….

세 자매의 길은 다 다르나, 미완의 삶이기에 큰언니는 나름 잘 살고 있지만 막내만큼의 아름다운 포기는 아직도 할 수 없는 부분이 남아 기도 중이다. 가운뎃동생은 여성들 중에 몇 안 되는 특수한 삶이다. 배우자 김을 의심치 말고 넉넉한 마음으로 살 수 있는 그리스도의 희생을 조금이라도 닮았으면 좋겠다. 막내의 삶은 박수를 쳐 주지만 자신을 찾았으면 좋겠다. 노후를 생각해서 의욕과 꿈, 취미생활을 해야겠다는 생각이 살아났으면 좋겠다.

막내의 찬양이 아직도 귓가에 맴돈다. '주 예수와 동행하니 그 어디나 하늘나라.'

제3장

긍정의 시선으로

나팔꽃

2020년 5월 22일 금요일.

은행 일을 보고 바로 탄천으로 향했다. 아침에는 산책하는 사람들이 드물어, 코로나19 때문에 거리두기를 하더라도 긴장하지 않고 걸을 수 있어 좋다.

잔디 운동장에는 오늘따라 비둘기 무리들이 이리저리 다니며 아침 운동하는 모습이 평화롭다.

오늘은 다리 밑 탄천 산책로보다 연둣빛 잔디가 깔려있는 시민운동장을 돌며 걷는다. 인도와 잔디 운동장 사이에는 잡풀이 깔려있다. 잡풀들도 얼마나 고운지 아침 이슬머금고 나를 반긴다. 한참을 돌다보니 핑크색 종이 같은 것이 보인다. "누가 휴지를 이런 곳에…"라고 하며 가까이 가 보니 나팔꽃 한 송이가 앉아있다.

"아니 나팔꽃 아니야!"

얼마나 반가운지 내 가족을 만난 듯 기뻤다. 그러나 혼자라서 외로워 보여 "어쩌자고 혼자 이곳에 와 있니, 너의 친구들은 다 어디에 두고."

"나도 몰라요. 조물주가 이곳에 보내셨겠죠."

"앗차, 네 말이 맞아. 주가 보내신 자리에 불평하지 않고 있는 너의 답이."

"정말 예쁘다. 사진 한 장 찍어 줄게, 널 만나니 오늘따라 옛 생각이 나는구나."

8·15해방 후 만주에서 돌아와 제일 먼저 살았던 청파동 1가 우리 집 뒷문 담에는 나팔꽃 무리들이 아침마다 인사를 했었다. 엄마는 꽃을 좋아해 정원에 다양한 꽃을 심었지만 특히 나팔꽃을 좋아했다.

그때의 기억들이 주마등처럼 지나간다. 우리 육 남매와 엄마 아빠 그리고 보랏빛, 핑크빛 나팔꽃, 우리 가족이 오손도손 살았던 모습들이….

"나팔꽃 친구야! 너의 꽃말처럼 기쁜 소식 전해주렴, 코로나19가 떠나갔다고…."

작가가 찍은 나팔꽃

쇼팽의 야상곡Nocturne

쇼팽의 녹턴 중, 작품9-2는 사람들이 가장 많이 즐겨 치고 감상하는 곡이다. 이 곡은 바르샤바 시대 말부터(1830년) 파리에 나올 때까지(1831년) 작곡된 것으로 기록되어 있다. 출판된 이듬해에는 독일의 유명한 비평가 렐슈타프가 쇼팽은 선배(필드)의 작품을 모방한 흔적이 있다고 지적했으나, 쇼팽은 어느 일부분이 비슷할 수 있는 것은 자연스러운 일이며 나만의 독창성을 드러내고 있다는 것을 강조하며 반박했다.

1832년에 출판한 쇼팽의 이 곡을 마리 플레이엘 부인에게 헌정하였다.

곡의 구성은 안단테, 12/8박자이다. 처음부터 끝까지 장식음으로 꾸며진 콜로라투라 풍 아리아(악보)처럼 멜로디가 흘러간다. 이탈리아 오페라의 장식적 가창을 염두에 두고 작곡한 곡이다.

나는 공부하다 쉬고 싶을 땐 이 곡을 치며 흥얼대면 피로가 풀리는 듯하다. 그런데 이 아름다운 곡을 그 당시 사람은 왜 감성적인 살롱 음악에 비유했는지? 어떤 이는 '센티멘털리즘에 빠지지 않고 연주한다면 음악이 진부해지지 않는다'고 말하며 선율적인 장식법을 잘 이해하고 연주할 경우에는 살롱 스타일을 뛰어넘는 아름다움을 발휘할 수 있다고 말했다. 선율이 아름다워 그 부분 악보를 소개한다.

추억 1

2학년 1학기 봄으로 기억된다. 주말이라 통행금지 시간이 지나자마자 갈월동에서 새벽에 전차를 타고 서대문에서 내려 아현고개를 넘어 학교에 가고, 때로는 버스를 타고 간다. 서울역에서 신촌 기차역까지 갈 때도 있다. 빨리 갈 수 있는 방법을 찾아 여러 방법을 시도했다.

중강당 연습실을 차지하려는 경쟁이 심해서 기숙사에 있는 음대생보다 먼저 도착하려고 도시락을 두 개씩 준비하고 다녔다. 성악을 전공하고 있지만, 클래식 피아노 시간은 필수였기에 피아노도 열심히 쳤다. 그날은 녹턴을 연습하고 있었다.

강원도가 고향인 성숙이가 들어오며 "일찍도 왔네"라며 방이 다 찼으니 자기에게 30분만 양보하라며 "지난 레슨 시간에 교수님이 사정이 있어 오늘 레슨 받기로 했어" 했다.

기다리는 동안 교정에 나와 연습실에서 흘러나오는 노래와 피아노 소리를 들으며, 싱그러운 향기를 품어내는 봄꽃과 연초록 동산에 취해 녹턴의 멜로디를 흥얼대며, 이 곡에 가사가 있다면 얼마나 좋을까 생각했다.

나는 어둑어둑해질 무렵까지 피아노 연습을 하고 나왔다. 철길 건너에는 김 선생이 언제부터 기다리고 있었는지 생쥐가 되어 서 있다. 소나기가 쏟아진 모양이다.

나는 "오늘 약속하지 않았는데요."

"그냥 한 번 얼굴만 보고 가려고요." 짧은 대화에 큰 사랑이 담겨 있다.

추억 2

세 친구는 복음성가 가수가 발표하는 음악회를 관람하고, 제 각각 걷고 있다. 각자의 개성이 다르다보니 앞서거니 뒤서거니 걸으며 빨리 가자고 손짓하는 친구, 내 뒤에서 느릿하게 걷고 있는 친구, 제각각이다. 지금은 나이테를 셀 수 없이 많은 나이지만. 나는 앞서가는 친구에게 "천천히 가요"라며 (명동 파출소 옆 분홍신 구두가게가 있었던 건물, 시공관이라는 극장으로 옛날에는 주로 클래식과 연극을 공연했던 곳을 바라보며) 천천히 걷고 있는데 앞서가는 친구는 무엇이 바쁜지 서두른다. 나이에 걸맞지 않게 아직도 감상에 빠져있는 내 모습을 항상 보고 있는 그 친구는 장난기 있는 말로 "회상은 무슨 회상, 북적대서 정신 없구만" 하며 빙긋이 웃는다. 초로에 만난 그 친구를 나는 주께서 소개해 주신 친구임을 확신한다. 완전한 사람은 없지만, 하나님의 법안에서 말씀대로 행하며 살려고 하는 삶의 본분이 되는 친구다.

뒤에서 따라오는 친구는 며칠 전 나에게 이런 곡 아느냐며 내가 좋아하는 쇼팽의 야상곡을 묻는다. "피아노곡인데, 왜요." 친구는 "그 멜로디로 가수가 노래하는데 어찌나 좋은지 나도 그 노래를 연습하고 있어요" 한다. 나는 "그래요. 그 곡이 노래로도 되어 있군요. 전혀 몰랐어요."

몇 년 전 그 곡을 치기 위해 책장을 뒤졌다. 옛날에 명동 음악사에서 산 책이라 누렇게 변한 책이 삭아서 너덜너덜한 대로 있었는데 이사하다보니 분실된 것 같다. 보물처럼 모시고 다녔는데….

명동에 온김에 음악사에 들러 야상곡집을 샀다. 그리고 노래하는 친구에게 필요한 곡이 이 책에 있으니 카피하고 달라고 했다.

쌀쌀한 명동의 거리는 젊은이들의 축제 같은 분위기다. 나는 가끔 이곳에 와 그들 사이에 끼어 걷노라면 기운이 샘솟는다. 노년에 만난 세 친구가 명동을 거니는 모습은 더욱 진하고 아름답게 느껴진다.

며칠 후, 옛날에 즐겨 쳤던 녹턴을 치려는데 더듬더듬 치는 대도 처음 접하는 곡처럼 생소하다. 생소한 것은 그 곡을 꾸준히 치지 않았기 때문이라는 걸 깨달았다. 수십 년 동안 잊고 살다 치려고 하니 될 리가 없다.

나는 그날부터 시간이 되는대로 오른손, 왼손 따로따로 연습하면서 학창시절 때처럼 외워서 칠 수 있을 때까지 치겠다는 다짐을 했다. 연습하는 시간도 행복했다.

녹턴을 연습하는 순간마다 성숙이는 어디에 살고 있을까. 학교 앞 철길 건너에서 비에 젖어 기다리던 김 선생의 모습이 주마등처럼 스쳐간다.

지나간 모든 것이 아름답게 느껴지는 나이가 됐나보다.

별 중의 별
– 다윗 왕은 예술가

정오 뉴스를 듣는 순간, 지구의 신비를 감상하려고 우주 여행을 하고 왔다.

아나운서의 음성이 조금 흥분되어 있다. 우주인이 지구를 처음으로 가장 상세히 촬영한 장면이라고 소개한다. 우주인들은 지구를 봐왔겠지만 내가 직접 보는 것은 처음이다. 나는 들뜬 마음으로 지구의 야경을 감상한다. 바다와 육지, 북극의 오로라가 무지개 빛깔로 연하게 뒤엉켜 춤을 춘다. 나는 황홀한 광경에 취해 '아, 이 신비로운 지구여! 너는 누구의 작품인가. 헤아릴 수 없는 별 중의 별에 누가 나를 보냈단 말인가. 이런 감사와 은혜를 어떻게 다 갚을 것인가.' 그분에게 물으며 또 '얼마나 나를 사랑하시기에 별 중의 별 지구에 보내셨나이까?'라고 말할 것 같다.

북극의 오로라는 아직도 지구촌을 감싸 안고 춤을 춘다. 나의 영체가 솜털보다 더 가벼운 날개를 달고 구역 제한 없이 이 별 저 별 기웃거리며 다니는데 눈부신 별 하나 있어 그곳에 다가가니 구름 담이 뿌옇게 가로막아 갈 수 없다.

희미하게 보이는 구름 담 너머에는 다윗과 미리암, 믿음의 선인들이 비파와 수금으로 찬양을 하고 있다.

다윗을 보는 순간, 나도 모르게 에코 소리로 띄워 "다윗 왕이시여! 질문이 있어요. 내 소리가 들리는지요." 다윗은 손을 높이 들고 긍정의 원을 그린다. "다윗 왕이시여, 당신은 예술가 맞지요." 또 원을 그려 답한다. 왕은 흥이 많아 기쁠 때 그분 앞에서 둥실둥실 어린아이와 같이 춤춘다.

언약궤를 아비나답의 집에서 싣고 나올 때에는 아효는 궤 앞에 가고 왕과 이스라엘의 온 족속은 잣나무로 만든 여러 가지 악기와 수금과 비파와 소고와 양금과 제금으로 여호와 앞에서 연주하는 모습이 보이는 듯, 아름다운 합주 소리가 들리는 듯하다. 나는 왕에게 외쳤다. "합주소리가 신비롭습니다. 이 순간 나도 곡에 맞추어 별 사이를 날아다니며 춤을 춥니다. 자유로운 영체 속에서….”

구름 담 너머 그곳에서는 내가 그곳을 떠나는 순간까지도 하나님께 영광을 돌리는 합주찬양이 이어지고 있다. 영생의 삶, 그곳이 바로 천국이리라.

이 순간도 어느 곳에서 누구와 만나든, 스쳐 가든, 무엇을 하고 있든 천국 생활의 연습과 훈련을 열심히 하리라고 다짐하며 별 중의 별 지구에 사뿐히 내려앉는다.

2014년 5월 9일 낮 12시 뉴스를 마치겠습니다. 오늘 뉴스의 실황을 잊을세라 이 감격을 나는 글에 옮기며 현재의 나의 삶(생각)을 알리고 싶어 이 글을 쓰고 있다.

생각, 상상은 시간과 공간을 초월하여 무한, 자유롭다. 아름다운 추억도 현재가 아닌 영적 시간여행이다. 미래의 긍정의 상상도 즐거운 마음으로 자신과의 약속을 지키며 사노라면 아름다운 결실을 맺는다.

천국과 지옥은 현재에도 영원히 사라지지 않는 우리들의

선택의 길이다. 과거와 미래는 자유롭게 왕래할 수 있는 영적세계로 보이지 않을 뿐, 존재한다. 흙으로 빚어진 육肉은 사후 다시 흙으로 돌아갈 뿐이다.

'별 중의 별' 지구에 살고 있는 우리들은 늦지 않았습니다. 순간마다 천국생활을 할 수 있는 하나님을 만나보십시오. 다윗의 수금과 비파 소리를 지금도 들을 수 있습니다.

> 여호와는 나의 목자시니 내게 부족함이 없으리로다.
> 여호와는 나의 목자시니 내게 부족함이 없으리로다.
> 나로 하여금 푸른 초장에 눕게 하시며 잔잔한 물가로
> 잔잔한 물가로 인도 하시도다.
> 진실로 선함과 인자하심이, 인자하심이 나의 사는
> 날까지 나를 따르리니 내가, 내가 여호와 전에
> 영원토록, 영원토록 거하리로다. 아멘
>
> – 다윗의 시/나운영 작곡

다윗의 시 23편은 그 당시 수금과 비파 반주로 찬양했겠지요. 근세에는 다윗의 '시'로 세계 각국의 작곡가들이 작

곡하여 애창곡으로 부르고 있습니다. 특히 나운영 교수의 '여호와는 나의 목자시니'는 가장 많이 부르고 있는 곡 중의 하나입니다.

별 중의 별(우주의 모습)

꿈꾸는 그곳
– 거룩한 성

집에서 가까운 산책로를 걷는다. 오작교 같은 다리 밑은 맑은 탄천이 흐르고 오리가족이 떼를 지어 노닌다. 비둘기는 추위도 잊었는지 먹이를 찾아 헤맨다. 이번 겨울은 유난히 추워서인지 여러 명 본향(천국)으로 갔다. 완전 무장을 하고 나와서 추위는 이길 수 있으나, 마음은 떠난 친구들이 생각나서 서늘하다. 잠시 벤치에 앉아 눈을 감았다.

투명한 상자가 나를 유혹한다. 눈 깜빡할 사이 빨려 들어갔다. "여기가 어딜까?" 행인에게 물었다. "우주에 하나밖에 없는 공원입니다." 나는 '하나밖에'라고 혼자 말하며 두리번거렸다. 시야에 들어오는 모든 곳에 황홀함과 빛의 밝음은 최상의 환상이다. 신기한 것은 어디에선가 비파와 수금 소리가 들린다. 나는 미지의 거리를 서서히 걷고 있는데, 몸이 붕 떠 있어 건성으로 걷는 느낌이다. 스쳐 지나가는 사람들의 모습은 평화로우며 기쁨에 차있다. 멀리 보이는 바다가 아름다워 그곳으로 향했다. 번적거리는 바다 위에는 그림에서 본 천사들이 춤을 추고 있다. 바닷가 벤치에 앉아있는 이에게 물었다. "이 바다는 왜 이래요" 그는 "바다 위를 맘 놓고 걸을 수 있는 유리바다지요." 그곳에 도취된 나는 시간이 얼마나 흘렀는지 모른다.

바닷가에는 보석 벤치가 이곳저곳에 있다. 빨간색 산호를 좋아하는 나는 산호의 벤치에 앉아서 황혼의 아름다움을 보기 위해 마냥 앉아 있었다. 시간이 흘러도 낮과 같이 밝을 뿐이다. 사방을 두리번거렸다. 몇 달 전, 본향으로 돌아간 친우 사라 목사가 날 향해 오고 있다. "아! 이곳이 천국인가?" 생각하며 사라에게 달려갔다. 사라는 "천국 맞아" 라며 행복한 모습으로 스쳐 지나간다. 나는 사라를 따라 한없이 뛰었다. 그런데 그는 돌아보지 않고 가 버린다. 나는 생각이 났다. 이곳이 밤이나 낮이 없는 천국인 것을….

그러나 나는 확인하기 위해 행인에게 물었다. "이곳이 천국 맞지요?" 되묻는 순간 나는 또 어느 건물 속으로 빨려 들어갔다. 이곳은 많은 사람들이 면접을 보듯 서 있는데, 면접관은 없고 거대한 거울만 보인다.

사람들은 한 명씩 거울 앞에 서 있다가 밖으로 나간다. 거울 앞에 잠시 서 있어도 거울에는 마주 서 있는 사람의 모습이 보이지 않고 그냥 거울일 뿐이다. 모두가 숨죽이고 있는 것 같이 조용하다. 이상한 생각이 들었지만 내 차례가 되어 나도 거울 앞에 섰다. 마주 서는 순간, 갓난아기의 울음소리와 동시에 거울 속에 아기의 모습이 영화를 보듯 보이며 그 아기가 빠른 속도로 자라는 모습이 눈 깜빡할 사이 지나면서 아기의 일생이 영화의 장면처럼 생생히 보인다. 새 생명이 태어나 유복하게 커가는 모습이 한순간 스쳐 지나가는 동안, 거울의 영상이 나의 일생임을 알았다.

이 시점까지의 삶의 모습이 섬세히 보이고 들린다. 언행, 생각까지도 보이고 들린다. 갑자기 백발 할머니의 모습이 보인다. 나는 놀라서 중얼거렸다. "저분이 누구야" 스피커에서 소리가 들린다. "자신을 몰라보다니" 하는 인자한 소리가 들린다. 자세히 보니 현재 머리 염색을 한 모습이 아니고, 백발의 모습인 나를 자신이 몰라본 것이다. "이곳 거울은 거짓이 없구나." 염색 안 하고 사는 내 또래들이 위대하게 생각된다.

"어느새 아기가 자라 백발이라니 세월이 번개 같네" 나의 영靈이 말하며 겁에 질린다. 그리고 노래 가사 '천사의 말을 하는 사람도'의 3절이 생각난다. '지금은 희미하게 보이나 그때는 주를 맞대고 보리….'

나는 누군가의 손에 나의 일생이 촬영되었다는 사실에 놀라 당황해하며 '그래도 잘 살아왔다고 생각했는데'라며 스크린에 나의 이 시간까지의 모습을 보고 두려운 마음에 나도 모르게 두 손 모아 기도를 하고 있다. "주님, 거울 속의 나의 일생이 얼마나 잘못 됐는지, 하얀 거짓말이라고 합리화하며 쏟아낸 말, 위선적인 이야기, 부끄러운 일들 용서하여 주소서."

거울이 있는 건물을 나와 다시 유리바다 쪽으로 향했다.

갑자기 수를 헤아릴 수 없는 합창단들이 유리바다를 무대 삼고 '아담스의 거룩한 성'을 합창한다. 나는 감히 그들 곁에서 같이 서서 부를 수가 없다. 영의 단복을 입은 그들과 영육靈肉의 단복을 입은 차이 때문에….

노래가 얼마나 은혜로운지 더 듣고 싶어서 '앙코르'를 계속 외쳤으나 몸은 어디론가 튕겨져 나갔다.

'꿈을 꾸었나.'

젊은이들이 산책로를 거닌다. 나는 사람을 의식하지 않고 '거룩한 성' 노래를 끝까지 부르며 성령이 내 안에 계심을 믿고 감사와 기쁨으로 걷고 있다.

'영의 세계를 잠시 다녀왔구나'라고 마음속으로 말하면서….

오 나의 태양(2)
– O sole mio

신세계백화점 정문 앞 벤치에 앉아 유난히도 파란 하늘을 바라보며 문우를 기다리고 있었다. 나무 사이로 강렬한 햇볕이 내리쪼인다. 햇볕은 이내 콧노래를 부르게 한다.

'오 맑은 햇빛 너 참 아름답다. 폭풍우 지난 후 너 더욱 찬란해'를 부르고 있는데 어디에선가 나를 부르는 소리에 놀라 보니 오창학 목사님 내외분이다.

'이럴 수가, 목사님의 애창곡을 부르는 순간 내외분이 내 앞에 계시다니.' 생각지도 못한 횡재를 만난 듯 기뻤다. 두 분을 보는 순간, 유순화 사모님과의 추억이 피어난다. 어느 초겨울 새벽기도회를 마치고 우리 집에 이른 아침을 초대

했다. 초대의 말을 미리 드렸더니 사모님은 정원에 피어있는 한 송이 장미꽃을 꺾어 왔다. 식탁 위 꽃병에 꽂으시며 "정원의 마지막 한 송이를 꺾어 왔어요" 하신다. 우리는 오늘의 아름다운 새벽만찬이 미래의 추억 한 장면을 만든 것이라며 즐거운 친교시간을 가졌다. 새벽 만찬 이야기는 앞서 이야기한 적이 있다.

낮의 갑작스런 만남에 아쉽고 서운했던 나는 목사님의 애창곡 '오 나의 태양'을 글로 쓰기 시작했다. 글을 쓰면서 나는 생각했다. 목사님은 성악가가 되셨으면 세계적인 하이테너 가수가 되었을 것이라고. 얼마나 노래를 좋아하시는지 결혼식 때나 고별 예배시간에 축가나 조가를 부를 수 있는 분이 없을 때에 주례자로서 자청해서 노래를 부르신다. 처음에는 의아하게 생각했으나 시간이 지나면서 누구도 따를 수 없는 성악가임을 깨달았다. 그리고 엔리코 카루소(Enrico Caruso, 1873~1921)가 생각났다. 카루소는 '오 나의 태양'을 세계에 알린 최초의 성악가다.

'오 나의 태양'은 나포레타나(Canzone napoletana, 나

폴리 노래)의 대표적인 노래다. 19세기 말에 나폴리에서 유명했던 작곡가 에두아르도 디 카푸아(Edwardo Di Capua)가 작곡했다. 가사는 조반니 카프로가 썼다. 카푸아(1869~1917)는 시칠리아 섬에서 태어나 1896년부터 로마 일간지의 편집장으로서 재치 있는 글재주를 발휘했다. 이 곡은 1898년 작품으로 피에디 그로타 가요제에서 우승한 노래다.

자연의 아름다움과 애인을 찬양한 스케일이 큰 노래로서 오늘날 나폴리 민요의 대명사다. 이 곡에 엔리코 카루소는 자신의 고향 나폴리의 총애 받는 도시인, 로마와 피렌체조차 넘보지 못할 높은 지위를 선사했다. 곧 그는 세계 최고의 테너 가수로 부상했다.

카루소는 칸초네 나폴레타나의 아이콘이며 대중가요와 오페라를 자연스럽게 융화시킨, 'O sole mio'를 변함없는 나폴리의 대표곡으로 남긴 최초의 가수로 기록되어 있다.

지구가 존재하는 한 이 곡은 수많은 사람의 애창곡으로 불릴 것이다. 세월이라는 흐름은 과거와 현재가 연결되어 있어, 보이지 않는 실타래의 연속이다. 특별히 이 곡을 많이 부르던 과거의 사람 카루소와 현재의 사람 오창학 목사를 나는 한 무대에 등장시켜본다.

구름카페 옆 건물에는 언제 지었는지 약 700명 정도의 인원이 관람할 수 있는 Music Hall이 세워져 있다. 정문 위 간판에는 카루소와 오창학 목사가 연미복을 입고 노래하는 포스터가 붙어있고 정문에는 생소한 음악회를 보기 위해 인산인해를 이루고 있다.

관람석은 이미 만원이다.

막이 열린다. 카루소가 나오며 손을 흔든다. 관객의 박수소리는 솜구름을 뚫고 나가 뭉게구름 위에 앉는다. 카루소의 독창회가 무르익는다. 나도 맨 앞좌석에 앉아 그의 노래를 설레는 마음으로 듣는다. 휴식 후 2부가 시작되었다.

카루소 뒤에 동양인 오 목사가 뒤따라 나온다.

두 가수는 'O sole mio'를 주고받으며 최고의 실력을 발휘한다. 관중은 기립박수 속에 자리를 뜰 줄 모른다. 박수소리가 여운을 남기며 흐려질 무렵 구름카페와 Music Hall은 구름 위 어디론가 사라진다.

카루소와 오 목사의 'O sole mio' 중창은 이 순간도 우주에 녹음되어 돈다.

숲속의 태양

바닷가의 추억

창문을 두드린다. 반가운 얼굴, 내 친구다. 운동화를 창 밖에 던지고 엄마 몰래 창 너머로 나가 신발을 들고 친구와 한없이 달려갔다. 숨이 찬 우리는 모래사장에 누워버렸다. 하늘에는 북두칠성과 별들이 금모래 뿌려놓은 듯, 총총하다.

바람이 살랑대는 초여름 바닷바람도 따스하다. 파도는 들랑날랑 발바닥을 간지럽힌다. 우리는 미래를 설계한다.(꿈을 꾸었다.)

태양이 한강으로 유혹한다. 우리는 수영복 차림으로 보

트를 타고 여름을 식힌다. 강바람이 스쳐갈 때마다 초가을 느낌을 준다. 강가에는 낚싯대를 드리운 사람들이 이곳저곳 보인다. 뭉게구름이 따가운 태양을 가끔 가려주어 양산 역할을 한다. 풍덩 강에 뛰어 내린다. 잠시 수영을 하다가 사람들이 적은 쪽으로 가 얼굴을 수건으로 가리고 모래 위에 누워 미래를 설계한다. 스물다섯 우리는 말을 주고받는다.

"여보, 나 시어른께 거짓말 할래."

"뭐라고."

"극장 갔었다고."

"알아서 해요."

꿈과 설계가 빗나가지 않고 이루어져 나갔다. 삼 남매를 낳고, 포항제철 창단 멤버인 남편 직장을 따라 포항에서 수년 동안 살았다. 여름방학 때가 되면 소나무 숲이 어우러진 해변 가에 나가 파도에 휩쓸려 나갔다가 다시 들어오며, 파돗소리에 질세라 노래를 부른다. 유전인지 삼 남매가 다 노래를 잘한다. 남편도 하이테너 성악가 같다.

대학교수가 꿈이었던 남편은 교수생활을 하며 행복해 했다. 교환교수 때는 방학을 이용해서 많은 곳을 여행하며 하나님의 작품 신비의 자연을 감상하며 다녔다. 50대 후반인 우리는 막힘없이 설계대로 이어져 나갔다.

코로나19가 겁나지만 운동은, 꿈은…

지구촌이 뒤숭숭하지만 걷기 운동은 꾸준히 하고 산다. 앞마당같이 가까운 분당구청 앞에 잔디 운동장은 운동도 하고 공연도 할 수 있는 곳이다. 다리 밑은 탄천이 흐르고 냇물 양쪽은 산책과 걷기운동을 할 수 있어 최상의 산책길이다. 시민공원에는 벤치가 간간이 있어 젊은이들이 앉아 깔깔대기도 하고 뽀뽀하는 모습도 자주 보인다. 나도 가끔 벤치에 앉아 타임머신 열차를 타고 과거에서 현재까지 달려본다. 그 순간의 영상, 영화는 '다이돌핀'(엔돌핀의 4,000배)이 튀어나와 덩실덩실 영靈적 춤을 춘다.

최상의 기쁨이다.

어느새 다리 밑 양쪽 언덕에는 개나리와 목련이 수줍은 듯 얼굴을 내민다. 그곳에도 먹이가 있는지 이름 모를 새의 지저귐, 비둘기들의 '구구구 구~구~' 노래 소리가 졸졸 흐르는 냇물소리와 중창을 하듯 아름답게 들린다.

얼마를 걷다가 햇빛과 마주하고 다시 벤치에 앉아 휴대폰 동영상에 담겨있는 나의 애창곡을 부르기도 하고 감상도 한다. 경쾌한 음악을 감상하며 다시 걷는다. 멀리서 사람이 내 쪽으로 걸어오면 서로 피해 걷는다. 서로 피하는 모습이 우스운지 눈이 마주치면 미소로 인사한다.

집으로 향하기 전 다리 위에서 멈췄다. 아름다운 탄천이 내려다보이는 냇물을 휴대폰에 담기 위해서다. 폰이 다리 밑으로 떨어질까 봐 꼭 잡고 찍는다. 잘 찍혔나 확인하니 이게 웬일일까. 파란장갑 낀 손이 냇물 일부를 차지했다. 다시 잘 찍을까 생각하다가 '실패작이지만 모든 것은 생각하기 나름' 내 눈에는 걸작으로 보인다. 연하게 찍힌 물색과 진 파랑색 장갑의 조화를 이루어 마치 유명한 작가의 작품처럼 보인다. 나는 스스로 사진작가가 된 기분으로 훗날 이 글을 발표할 때 이 사진작품도 같이 넣으리라 꿈을 꾼다.

긍정의 시선으로…

젊은 친구로부터 카카오톡이 왔다. 내용을 읽고 얼마나 기뻤는지.

"권사님, 어제 좋은 시간이었답니다. 5학년 8반인 권사님은 사람들에게 생명을 주는 마법사처럼 보였습니다. 열정적인 빨간색 마법사복을 입고 천사처럼 무대에서 날갯짓하셨어요!"

2019년 11월 2일 토요일 4시, 아이온 케드로스 창단 음악회를 보고 주신 따뜻한 내용이다. 감동을 잘하는 나는,

그 기쁨이 이 시간까지도 식지 않았다.

위 글을 읽고도 감사의 답을 못하고 2020년 봄, 오늘에야 글을 올렸다.

"잘 계시죠, 항상 생각하고 있었지만 인사가 늦었어요. 코로나19 바이러스 관계로, 예배는 동영상으로 보고 있고 건강관리를 위해 매일 분당 시민공원에서 운동 겸 산책을 하고 있습니다. 곧 뵙기를 원합니다"라고 산책로 사진과 함께 글을 올렸더니 바로 답장이 왔다.

"세계적인 대문호들은 늘 산책을 통해 자연이 주는 공기의 세례, 바람의 세례 등을 통해 창조적인 작품 활동을 이어갈 수 있었습니다. 권사님도 그러시군요. 늘 그리워하고 있습니다."

"Shalom, Happy Easter for you."

나는 바로 답장을 했다.

"항상 주안에서 긍정의 시선으로 보시는 젊으신 작가님 감사합니다"라고….

새벽 강에서

김용원

물안개 핀 새벽 강에서 알았다
사람이 쓰러지는 건
다른 누군가에 의해서가 아니라
스스로 포기할 때라는 것을

하늘의 뜻은 내 뜻과 다르고
하늘의 기준은 내 기준과 달라
삶의 어느 한 귀퉁이라도
함부로 재단하지 말아야 한다

땅을 굽어 살피시며
들의 백합화를 입히시는 손길이
나 하나의 삶과 전쟁 역시
축복하시리라는 것을
나는 믿는다.

권사님 수필집 여섯 권을 두 번 정독하고 나서

– 청명하고 맑은 가을 하늘 뭉게구름 같으신 권사님께

제가 어렸을 적부터 동경하고 꿈꿔왔던 그 꿈들이 수필이라는 글들로 작품화 되어 제게 살며시 다가와 현실처럼 대리만족을 하게 되었습니다.

찬란하고 숭고한 사랑들, 따스한 인간애, 영화 한 장면 한 장면 본 듯한 소중한 역사 현장들, 영롱한 작품 색상들….

조영숙 작가님께서 제게 맘껏 상상의 나래들을 펼쳐, 주인공이 되어 보게도 했습니다. 작가님의 작품을 한 손에 들면, 다음 작품은? 또 다음은, 하고 눈이 아플 정도로 작품세계에 빠져들곤 했답니다.

작가님의 인생 여정과 우리네들 인생 여정에 있는 높은 산과 낮은 산, 기가 막힌 웅덩이와 깊은 수렁들을 작가님의 꾸밈없는 진솔함과 순수하심이 예술성으로 승화시켜 우리의 삶을 뒤돌아보게 하는 힘과 열정을 주시는 마력이 있어요. 모든 작품 하나하나가 우리 인생 여정은 이 지구상에 잠시 소풍 왔다가 천국 집에 들어가는 우리 삶을 표현한 글이어서 여러 번 읽게 되었지요.

오직 길과 진리, 참 생명과 안식은 예수 그리스도 안에서만이 참 기쁨이요, 찬송이라는 것을 일깨워 주시는, 아주 값지고 소중한 작품이기에 저의 인생길에 대리 만족하고픈 여인 중에 저의 절친, 조영숙 권사님! 그러나 제일은 영靈과 혼魂 그리고 육肉을 축복받게 한 조영숙 작가님! 사랑합니다.

'네 영혼이 잘 됨같이'

이 숙 드림

다시 찾은 추억의 길

"진이구나, 웬일이야?"

내가 전화해도 답이 없는 무심한 친구인데 이른 아침에 전화를 하니 무슨 일이라도 생겼나 생각하며 전화를 받았다.

"지금 시간 돼, 갑자기 그 사람이 생각나서."

"천국 간 네 남편?"

"아니."

"그럼 누구?" 친구는 긴 이야기니 들어보란다.

"숙아, 60여 년 만에 진해의 뚝 길을 찾았어."

"난데없이 무슨 말 하는 거야."

"6·25 피란 시절 우리는 진해에서 살았어. 해변가 뚝 길은 나의 산책로였고 그곳은 언제나 해가 뜨고 지고 하는 풍경이 나를 설레게 했어. 안식처 같은 곳이었지. 어느 날은 저녁노을 빛에 반사한 다이아몬드 모양의 물체를 단 육군 소위가 좁은 뚝 길을 마주 걸어오며 내 어깨를 스치고 가는 것이었어. 그 길은 좁아서 지나갈 때마다 어깨가 스치게 되거든. 그의 용모는 호남이었고 큰 키와 분위기가 가슴을 뛰게 했어."

"그분을 보자마자 가슴이 뛰었다고, 그분이 첫사랑이었구나." 그 후, 친구는 그 시간 때가 되면 그곳에 갔고, 어느 날 소위는 프로포즈를 했다. 그의 손목에는 언제나 묵주를 차고 있었고 분위기는 신부님 같은 모습이었다고 한다.

그의 부대는 친구의 집과 가까워서 언제나 친구 집 대문까지 바래다주었다.

어느 날, 집 가까이 갔을 때, 벼락같은 소리가 들린다. "뭐하는 짓들이야"라며 친구의 엄마는 친구의 손을 잡고 사정없이 끌고 들어갔다. 지금 생각하면 아무것도 아닌데 얼마나 떨었는지, 큰 죄나 진 듯 친구는 절망에 빠졌다고 한다.

첫사랑 이야기를 하는 내내 소녀처럼 설레어 있는 모습이 보이는 듯하다.

"진아, 그분 아직 살아계시겠지. 그럼 내가 찾아볼까?"

"찾아서 뭘 하게. 추억이 있다는 것만으로도 헛살지는 않았구나 생각이 들어. 아이들 아빠한테는 미안하지만, 그 양반이 천국만 안 갔어도 그런 생각은 안 할 건데."

"거짓말" 친구는 당황했다.

"사실은 그 양반 살아있을 때도 가끔 생각났었지."

'사랑.'

보자마자 가슴 철렁하는 첫사랑의 순수, 누구나 한 번쯤은 경험했을 것이다. 그런데 친구는 의젓하고 말수도 적고 해서 그의 남편이 천국 가신 후, 첫사랑을 추억하며 위로 받을 줄은 몰랐다.

내 수필집 1권에 "석"이라는 글을 쓴 적이 있다. 글을 요약하면 6·25전쟁 때 대전으로 피란가 그곳 교회 고등부에서 교회생활 할 때 석이라는 학생이 그때부터 환도 후, 각자 결혼 후에도 중년이 지나서도 홀로 나를 향한 집착으로 살다가 천국에 갔다. 당시 석이 친구들이 그 이야기를 전해 주었다.

미안한 것은 한 번도 석이를 좋아한 적은 없었지만 나에게 편지 보낼 때마다 유명 작가의 글을 읽는 것 같이 감동이었다.

남편이 떠난 후, 서재를 정리하다가 석이의 마지막 편지가 나왔다.

"내가 죽으면 내 무덤 앞에 꽃 한 송이를…."

그에게 한 번도 마음 간 적 없는 나는 마지막 글을 보는 순간 "석아! 너라도 살아 있었으면…" 하는 말이 절로 나왔다.

그 당시 짝을 잃은 설움에 대역을 생각한 것이 석이였다. 대화가 될 것 같아서. 황혼이 된 지금도 석이에 대해서는 계속 미안한 생각이 든다.

사랑 없이, 짝 없이 산다는 것은 외로움인 것이 보편적인 것임을 알지만 내 경우, 나는 바로 주님께 매달렸다.

"밥 잘 먹고, 잠 잘 자고, 배설 잘하게 하여 주소서" 동물적인 유치한 기도이나 이것이 건강의 기초인 것 같아서.

그리고 하고 싶었던 글쓰기를 배우기 시작했다.

친구 진이는 아름다운 추억이 위로가 되고 현재 후손을 위해 기도하며 살림을 맡아하고 있다. 그의 극진한 가족사랑은 헌신이다.

동창회 나와서는 힘들다는 말을 가끔 한다.

"내가 이 나이에 살림을 하다니"라고 푸념하면 나는 "그것도 안 움직이면 병 나, 오히려 가족에게 고맙다고 해"라고 큰소리친다. 친구는 나를 보며 이상한 웃음을 짓는다. '넌 가족 위해 무얼 했는데…' 나는 웃을 수밖에.

진이는 "다시 그 뚝 길을 가보고 싶어. 같이 가 줄래…"라고 묻는다.

나는 친구의 손을 잡았다.

같은 이야기라도
– 거룩한 자존심

성격은 타고나는 것일까.

부드러운 성격과 공격적인 성격, 긍정적인 성격과 부정적인 성격, 이렇게 다양한 사람들과 우리는 매일 접하게 된다. 공격적이고 부정적인 사람과의 대화는 피로를 느끼고 지루해서 피하게 된다. 그 반대의 사람과의 교제는 평안을 느끼고 그 만남이 피로 회복이 된다.

자주 접하는 사람과의 대화 속에서는 허물없이 코믹한 농담도 섞어가며 이야기를 나눌 수 있다. 그러나 때로는 넘어갈 수 있는 이야기도 문제 삼고 문제를 만들어 공격하고 공격을 받는다. 분위기는 곧 불편하게 되고 친교의 시간이 엉망이 된다. 이럴 때 성숙한 마음으로 조율할 수는 없을까.

사사로운 문제를 문제 삼으면 침소봉대針小棒大가 되고 큰 싸움이 벌어진다는 것을 우리는 경험으로 안다.

다툼은 자존심이라는 필요악 때문에 벌어질 수도 있다. 자존심은 세 종류가 있다.

1. 성숙한 자존심

불쾌한 말이나 억울한 일을 당해도 즉시 반응하지 않고 마음은 상했어도 바보처럼 웃음으로 대처하는 사람도 있다.

2. 미성숙의 자존심

즉시 반응하며 다툼으로 이어진다. 요즘은 연속극에서도 여자들이 머리카락 잡고 몸싸움하는 장면을 간간이 본다.

2020년은 코로나의 등장으로 더 심해졌다. 지구촌 전체가 '멍군 장군' 싸움판이다. 격해지고 거칠어졌다.

3. 거룩한 자존심

거룩한 자존심으로 감사와 기쁨과 바보처럼 사는 성직자들을 많이 본다. 그들의 얼굴이 항상 밝고 편안해 보이는 것은 성경에서 말하는 거듭난 분들이어서 그런가보다.

금년은 코로나의 등장으로 힘든 시대이다. 위의 1번과 2번은 피하면서 3번 '거룩한 자존심'을 믿음으로 성장하는 우리들이 되었으면 좋겠습니다.

주님만이 아시는 코로나19의 등장 탓에, 나는 철저하게 기독교 방송을 주로 들으며, 거룩한 자존심을 익혀간다.

TV에서 보는 방송, 주님의 말씀을 대언하는 수많은 목사님! 감사합니다.

식욕을 참지 못하고

2020년 9월 13일 주일.

4주째 온라인으로 예배를 드린다. 온라인 예배나 CTS 방송 예배에서의 말씀으로 은혜 받으며 아침을 연다. 목사님들께서는 코로나 시대가 언제 종식될지 모르는 상황에서 우리는 하루에 한 끼 금식하며 기도에 힘쓰라고 말씀하신다. 그분들의 호소는 눈물겹다.

"어쩌다가 우리 기독교가 지탄을 받는 대상이 되었나요" 라며 말씀을 이어가신다.

그분들의 말씀에 계속 은혜 받으면서도 어느새 나는 오늘따라 맥도날드의 아침메뉴가 눈앞에서 아른거린다. 나이

탓일까. 배가 고프면 힘이 빠진다. 젊은 시절에는 하루 한 끼만 먹어도 배고픔이 없었는데. 다행인 것은 이 나이에도 식욕이 왕성해 맛있게 먹을 수 있는 것이 감사하다.

이른 아침 간단히 식사를 하다 보니, 배고픔은 왜 이리 빨리 오는지. 그래도 조금 참으니 '최고의 자랑'이라는 작품을 완성하게 되었다. 마음이 개운하다.

맥도날드 정문 입구에서는 신분증을 보여주고 이름과 전화번호를 기록한 다음 체온검사를 하고 매장으로 통과시킨다. 태어나서 처음 겪는 고난의 시대인 것 같다.

그러나 주의 은혜로 크게 두려움은 없다. 주께서 말씀하신 "항상 기뻐하라" 하셨으니 무엇이 두려우랴.

그러나 가끔 사탄은 '두렵지'라며 속삭인다.

'까불지 마~사탄아' 하며 말로 물리칠 때도 있고 성령의 도움으로도 물리친다. 이것들은 나를 이길 수 없다는 것을 아는지 내 안의 문턱에서 사라진다.

맥도날드 매장을 나와 3분쯤 걸리는 길을 7분쯤 걸리는 길로 돌아간다. 한 걸음이라도 더 걸으려고 가까운 길보다 조금 돌아가는 길을 나는 가끔 즐긴다. 고층 건물이 양쪽으로 있어 하늘도 좁은 골목처럼 좁게 보인다. 어제는 비 온 뒤 하늘이라, 파란 운하처럼 보인다. 하늘 모습을 폰에 담고 싶었지만, 감자튀김 베이컨 에그머핀 냄새가 내 식욕을 억제하지 못하게 하고 있다. 집에 도착하기 무섭게 가져온 음식을 먹기 시작했다. 꿀맛이다.

코로나19 시대인 이 순간도 '한 끼 금식'을 외치시는 목사님들과 한 끼도 먹을 수 없는 난민들에게 미안하고 할 말이 없다.

나의 연약함이….

포항의 추억담

젊은 영님과의 만남은 교회에서다.

5, 6년 전 음악회를 갔을 때, 시작 시간이 좀 남아서 우리는 벤치에 앉아 이야기를 나누다 보니, 친구의 남편도 포항제철과 관련이 있는 분이란 것을 알게 되었다. 친구도 약 10년 동안 그곳에서 살았었다고 한다.

우리는 그곳의 해변과 죽도시장 등 다양한 추억담을 이야기하며 언제 그곳에 여행을 다녀오자고 약속을 했다.

그리고 우리는 그곳에서 잠시 살았던 '포항 댁'이라며 벤치에 앉아 기념사진을 찍었다.

2020년 코로나19의 출연으로, 언제 추억여행을 할 수 있을지….

약 40년이 지난 마음의 고향, 포항시가 어떻게 변했을까 궁금했다.

젊은 친구의 남편 엄 사장님께도 감사를 드린다. 사장님을 통해서 포스코 옛분들과 후배 분들의 연결고리를 만들어 주신 덕분에 꾸준히 소통할 수 있는 것은 무언의 감격이고 기쁨이다.

"친구야! 우리 언젠가 추억여행 꼭 갔으면 해."

마음의 고향

나이든 탓일까, 찐하게 남아있는, 6·25 전쟁 당시의 피란지, 대전에서의 삶을 전 수필집에 발표했었다. 요약해서 말하면, 사춘기 때여서 그랬는지 교회 생활이 얼마나 즐거웠던지! 고등부 남녀 학생들이 모여서 봉사활동도 하고 찬양대도 같이하며 지냈었다는, 추억담을 상세히 썼다.

그 책을 교우 이영 님은 상세히 읽고 말한다.

"권사님! 저도 6·25 당시 그 교회를 다녔어요" 한다. 얼마나 반가웠는지. 나이를 세어보니, 이영 님은 당시 초등학생으로, 같은 성전에서 매주 스쳐가며 예배를 드렸던 것이다.

또 놀라운 것은 아나운서 생활 후, 치과를 하고 있는 수광 후배도, 잘 아는 분이라고 말하며 "세상이 좁네요" 한다.

내 책을 얼마나 꼼꼼하게 읽었으면, "두 이야기를 찾아냈을까" 속으로 생각하며 고마운 마음으로 가득 찼었다.

현재 초로에 들어선 우리는 찬양으로 하나님께 영광 드리며, 감사와 기쁨으로 살고 있다.

이영 님은 코로나 시대인 현재도, 가을 여행을 하며, 여행지에서 찍은 자신의 사진을 폰으로 보내왔다. 당시 초등학생이었던 그 어린이가 이렇게 곱게 나이테를 그려가고 있었다니!

아~ 잊을 수 없는 사춘기 때의 마음의 고향,
언제 추억여행 할 수 있으려나….

제4장

다시 읽고 싶은 작품들

잔잔한 행복
– 백내장 수술

『미완성교향곡』 표지 사진

달밤이면 습관처럼 밖에 나가 달과 마주 서서 마음속으로 이야기를 한다. 이야기를 나누고 있노라면 어릴 적부터 지금까지의 화면이 깜빡할 사이 스쳐간다. 백내장 수술 전에도 달을 자주 보았지만, 수술 후에는 더 자주 나가 본다.

수술 전에는 달 직경이 20cm 정도로 작게 보이던 것이 수술 후에는 직경이 1m나 되는 느낌으로 크게 보여 얼마나 황홀한지 모른다. 오늘도 철쭉꽃이 만발한 정원 벤치에 앉아 봄의 향기를 맡으며 '계수나무 한 나무 토끼 한 마리' 동요를 흥얼댄다. 그리고 추억에 잠겨 혼자 웃는다.

추석 전날 밤, 꿈속에서 엄마 음성이 들린다. 송편이 잘

익었네. 나는 송편을 먹으며 내 방 창에 앉아 감나무 동산 사이로 보이는 만월을 보며 생각에 잠긴다. 그 감나무 동산 너머 언덕에는 아담한 교회가 있는데, 교회의 새벽 종소리는 지금도 들리는 듯 그리워진다. 그 경치가 너무도 아름다워 미술 숙제를 그곳을 배경으로 그려간 적도 있다.

어느 추운 겨울, 친구와 보름달 보러갔다. 친구가 말한다. "어쩌면 보름달이 저렇게 크니" 나는 "아름답기는 해도 크게 보이지는 않아" 친구는 팔을 크게 벌리며 "이만한데 안 커" 한다.

내가 심한 근시라는 것을 몰랐다. 그리고 생각했다. 엄마가 눈을 찌푸리고 책을 보거나 엎드려서 책을 읽으면 "숙아, 안과 가보자. 아무래도 심한 근시 같구나." 나는 병원에 가는 것이 왜 그렇게 싫었는지. 지금 생각해 보면 어지간히 말을 안 들었다.

중년이 지나 근시 안경을 쓰기 시작했다. 노년이 가까이 오자 눈은 점점 더 나빠진다. 소문을 듣고 미금에 있는 안과를 찾았다. 원장님은 백내장이 심하다고 한다. 나는 즉시 수술을 했다.

수술한지 10년이 흘렀다. 1년에 한 번씩 검진을 받는데 한결같은 선생님의 모습은 최고의 신사다. 언제나 넌지시 덕담을 하신다. "좋아 보이십니다." "책 잘 보고 있습니다." 나는 나의 수필집을 아는 이들에게 가끔 선물로 드리는데 선생님은 드릴 때마다 읽으셨다는 반응을 보이신다. 예의 바른 원장님에게 10년 동안 검진을 받는 사이 오래 사귄 친구처럼 허물없이 말을 할 때도 있다.

백내장 수술 후 모든 세상이 전보다 더 아름답게 보이는 것에 얼마나 감격하는지 아무도 모른다. 사계절의 색채의 변화, 멀리서도 간판 글, 버스 번호를 볼 수 있다는 감사, 별과 달, 뜨는 해, 지는 해, 길가 보도 블록 사이에 앙증스런 좁쌀 꽃들을 안경 도움 없이 선명하게 볼 수 있다는 행복은 최고의 행복이다.

이승혁 원장님!
항상 편하게 대해주시는 선생님 감사합니다.

혀

우물가

아낙들의 웃음소리가 보리밭에 머물러 파도친다.

아낙 1: 어제 해질 무렵, 구장 딸 금네가 보리밭에서 기어 나오는 것을 내 눈으로 봤어.

아낙 2: 뻔하지. 감나무 집 학상하고 그렇고 그런 사이니까 재미본 거지.

아낙 3: 구장 딸이면 뭐혀, 머리에 피도 마르기 전에 그런 짓을 하고 다니는디~.(이때 발소리가 들린다.)

학생: "그동안 안녕하셨슈, 방학이 되어 지금 경성에서

내려오는구먼유."

두려움

6·25전쟁이 끝난 후, 음대생의 '피아노 교실' 차지 경쟁은 치열했다.

학생 1: "내가 먼저 맡았어, 이 책 놓고 화장실 다녀온 사이 네가 온 거야."

학생 2: "그걸 어떻게 알아, 어제 놓고 간 건지."

(이들의 언성은 점점 높아져 음악관 앞 정원까지 들린다. 화가 난 학생 1은 치명적인 말을 서슴지 않고 한다.)

학생 1: "발 병신 주제에 말도 많아."

학생 2: 통곡하며 불편한 다리를 질질 끌고 연습실을 나간다.

(20년 후 그들의 친구 3은 친구 1을 우연히 만났다. 놀란 것은 친구 1의 아들이 친구 2와 같은 불구가 되었다는 것이다.)

'석' 이
– 차이콥스키의 비창

'너 그리워하다 나 죽으면 잿빛 무덤에 꽃 한 송이 꽂아 달라'고 시를 써 보낸 석아, 너라도 살아 있으면 친구하자 했을 텐데….

독창회 전날 밤, 남편은 내일을 위한 기도를 드렸다. 실수하지 않고 무사히 끝나게 해 달라고, 2년 동안의 연습은 인내로 이어졌다. 연주회 날은 잡아놓고, 소문도 냈으니 안 할 수도 없고 걱정이다.

프로그램은 독일의 시인 아이핸드르프의 시 12편을 슈만이 작곡한 독일 가곡이다. 원어로 부르자니 혀가 잘 돌지 않아 남편이 시간 나는 대로 발음연습을 시켜 주었다. 하루에도 몇 번씩 그만 두고 싶었다. 무대에서는 오랜 시간을 연습해도 그날 컨디션이 나쁘면 실수하기 쉽다. 초대권은 친지와 동창, 교우와 교수님에게 전했다.

나는 엉뚱한 생각을 했다.

6·25 피란시절, 대전으로 피란 간 학생들을 위한 종합학교가 있었는데 남녀공학이었다. 허름한 창고를 칸막이해서 교실을 만들어 비가 새지 않을 정도로 해놓고 마룻바닥에 앉아서 공부를 했다. 어려운 가운데서도 공부에 대한 열정은 대단했다. 주일에는 교회에 나가는 것이 큰 기쁨이었고 학생들의 신앙생활도 진지했다. 학생들은 봉사부, 문화부, 음악부, 체육부 중에 적성에 맞는 부서를 택해서 열심히 봉사활동을 했다. 주일마다 예배를 마치고 찬양 연습을 한 다음, 학생들의 모임이 있었다. 어느 날부터인가 문화부를 맡은 '석'이라는 학생이 토론할 때마다 내가 말하면 트집을 잡고 빈정대면서 자존심을 상하게 했다. 보통 키에 항상 철학자 같은 모습으로 생각이 많은 학생처럼 보였다. 나중에 알고 보니 동생들을 거느린 가장 역할을 한다고 했다.

얼마 후, 우리 가족은 서울로 돌아왔다. 시가지는 어수선하고 처참했다. 다행히 우리 집은 유리창 몇 개 갈고 조금만 손질하면 살 수 있었다. 나는 본교에 돌아와 다시 공부할 수 있었던 감격을 잊을 수가 없다. 고등학교 2학년 때, 입시준비를 해야 하는데 좋아하는 성악을 부모님이 반대하므로 어머니를 설득하여 레슨을 받게 되었다.

서울로 돌아온 후, 첫 가을 어느 날, 학교에서 돌아와 보니 석이의 편지가 와 있었다. 대전에 있는 친구에게 주소를 물어서 보낸다고 적혀있었다.

나를 귀찮게 하고 빈정대던 석이가 왜 진지한 편지를 보냈을까. 그의 편지는 계속 이어졌다. 시와 편지를 번갈아 보내왔다. 대학생이 된 후에도 그랬다.

어느 날, 피란시절 때 친구를 우연히 만나 석이가 명문대 상과대학을 다닌다는 소식을 들었다. 답장을 안 한 것이 미안했지만 좋아하는 타입이 아니니 할 수 없다고, 내가 나를 용서했다. 세월이 흘러도 그의 편지는 계속 이어졌다.

우리 집은 효창공원에서 가까운 청파동이었다. 교회도

언덕 위의 아담한 그림 같은 교회다. 내가 하는 봉사는 언제나 찬양대였다. 그곳에서 지금은 꿈속에서나 만날 수 있는 남편을 만났다. 그의 영혼은 천국에 있지만, 그의 환한 미소와 부드러운 음성은 하얀 솜구름 되어 언제나 내 곁에 있었다. 그를 그리워하다 지치면 석이라도 곁에 있으면 말 친구라도 해줄 텐데, 염치없는 생각을 하기도 했다.

그 당시 겨울은 몹시 추웠다. 한강이 꽁꽁 얼어서 스케이트장이 되었고, 걸어서 강을 건넜다. 크리스마스를 앞둔 어느 주말 '수'와의 만남을 위해 문 밖으로 나가니 뜻밖에 석이가 목석처럼 서 있었다. 그 당시 남편의 이름을 '수'라고 일기에 가명으로 썼다. 어머니가 가끔 일기장을 몰래 보는 것 같아서 어쩔 수가 없었다.

서울로 온 후, 처음 보는 석이에게 친구로서의 감정밖에 없던 나는 "웬일이세요?"라고 물었다. 그는 아무 말 없이 슬픈 얼굴로 나를 바라보고 있었다. 지금 생각하면 그 당시의 나를 이해할 수 없었다. 왜 그렇게 냉정했었는지.

'수'와의 만남의 시간에 늦을까봐 명동에 있는 '돌체' 음악 감상실로 급히 갔다. 석이는 시간을 내 달라고 애원하면서 계속 따라왔다. 나는 선약이 있다고 대답했지만 그는 잠깐이면 된다고 했다.

음악 감상실은 주말이라 학생들로 꽉 차 있었다. 차이콥스키의 교향곡 '비창' 1악장이 흐르고 있었다. 수가 손을 들어 나를 반겼다. 석이도 내 옆에 앉았다. 갑작스러운 불청객이 나타난 어색한 분위기 속에서 어쩔 줄 모르는 나를 바라보며 소개하기를 기다리는 수에게 석이가 먼저 손을 내밀면서 피란시절 친구라고 자기를 소개했다. 침묵이 흘렀다. 어색한 순간이 불안했다. '수'가 갑자기 일어서서 말들 나누라고 하면서 나가버렸다. 얼떨결에 나도 일어나 수의 뒤를 따라갔다.

지독한 한파 속에 하얀 눈이 볼품없이 휘날렸다. 석이도 내 뒤를 따라오며 목멘 소리로 나를 부른다. 뒤를 돌아보니 걸음을 멈추고 우두커니 서 있었다. 두 뺨에 눈물이 흐르고 있었다.

독창회 초대권을 마지막 점검하는 남편에게 "여보 피란시절 친구들에게 초대권을 보낼까"라고 물었다. 남편은 "마음대로 하구려"라며 잘라 말한다. 넉넉한 성품이지만 대답은 퉁명스럽다.

그날은 어이없게도 갑작스러운 일이 벌어졌다. 온통 나라가 시끌시끌했다. 광주사태가 일어났다. 반주자는 친척들이 그곳에 살고 있다며 안절부절못했다. 나는 연주를 할 수 있을까 걱정했지만 연주 홀 측에서는 예정대로 진행하라고 했다.

독창회는 무사히 끝났다. 초만원이었다. 관객들은 모두 친분 관계로 왔기 때문에 편한 마음으로 노래를 부를 수 있었다. 남편은 음정, 박자, 가사 하나도 틀리지 않고 불렀다며 나를 칭찬해 주었다. 나중에 들은 말이지만, 독일어를 잘하는 남편 친구가, 그날 부른 노래 가사가 어느 나라 말이냐고 농담 반 진담 반으로 물었다는 것이다. 나는 그 말을 듣고 배꼽이 빠지라고 웃었다.

며칠 후, 피란시절 친구에게서 전화가 왔다. "그날 석이 못 봤니, 이층 맨 앞에 앉아 있더라." 왜 아무 말 없이 돌아갔을까. 무엇을 생각하며 들었을까. 석이에게 미안한 생각이 들었다.

그로부터 가을이 열 번 가량 지나간 어느 날, 친구에게 그가 투병 중이라는 소식을 들었다. 피란시절 친구들을 보고 싶어 하니, 같이 병문안 가자고 했다. 그때는 왜 그렇게 어리석었던지, 남편에게 물었다. “옛날 돌체에서 만난 석이 알지요? 중병이라고 하는데 병문안 가도 돼요? 친구들이 함께 가자고 해요.” 남편은 아무 대답이 없다. 다시 물었다. 남편은 표정 없이 책만 본다.

가을이 지나고 첫눈이 내렸다. 진눈깨비지만 창 밖의 풍경은 아름답다. 석이는 그날 조용히 눈을 감았다고 한다.

들녘에 코스모스가 물결쳤다. 황금색 카펫을 깐 논밭이 눈부시다.

차이콥스키의 ‘비창’을 들으며 그날 남편과 나와 석이가 마주앉았던 돌체 감상실이 지금 이곳에 머문다.

보석 같은 추억들을 초록색 소쿠리에 담는다.

‘석아’ 너 살아있다면 친구하자 했을 텐데….

미완성 교향곡

미완성은 아쉬움이기에, 완성으로 향하려는 꿈이 있어 아름답다.

이른 아침 후회 없는 완전한 삶이 되게 해 달라고 기도한다. 일과를 마치고 잠자리에서의 기도는 부끄러운 고백뿐이다. 허세와 거짓과 이기적인 것, 다시 한 번 용서를 구한다. 이것이 매일 되풀이되는 생활이다. 감당하기 힘든 것은 감정의 흐름이다. 걸맞지 않게 소녀시절이 평생을 간다.

Y교수의 구름카페를 드나들고, 무지개 다리 위에서 솜사탕을 먹기도 한다. 어느 날은 오솔길을 걸으며, Time-machine을 학창시절로 돌려놓기도 한다. 김 선생과 나는

주말이면, ky 음악 감상실, 종로 르네상스와 명동 돌체 감상실을 다니며 음악을 감상한다.

어느 주말, 첼리스트 김인수 교수의 해설을 들으며 미완성 교향곡을 감상했다. 진회색 머리카락을 연신 쓰다듬으며 울림이 있는 굵은 음성으로, "여러분, 슈베르트의 미완성 교향곡은 위대한 작품입니다. 1882년 10월 30일 그가 사망하기 6년 전에 1, 2악장이 완성되었고 3악장은 9마디만 쓰고 그대로 남겨 놓았습니다. 미완성이라는 이름이 붙은 이유는 보편적으로 4악장이어야 하는 형식이 2악장만 되어 있기 때문이며, 그 예술적 내용에 이르러서는 오히려 훌륭히 완성된 작품이라고 일컬어지고 있습니다. 슈베르트는 천진무구함 탓으로 명성을 따르지 않고 보답을 바라지 않았으며 오로지 예술에 정진했으나, 굶주림으로 짧은 생을 마감했습니다. 650곡에 달하는 가곡과 수많은 작품은 영원히 세계에 넘나드는 전파에 흐를 것입니다."

굶주림으로 생을 마감했다는 말에 무겁고 숙연한 분위기 가운데, 음악의 흐름만이 자유롭게 오간다.

제1악장 Allegro moderato[알맞게 빠른 속도로]가 시작

된다.

낮은 음 현악기가 부르는 노래는 엄숙한 전설 시를 이야기하는 것과 같은데, 그것에 높은 음 현악기가 가볍고 상쾌하게 응답한다. 열정의 격류가 있고 음울의 깊은 곳이 있으며, 가득한 태양의 사랑이 포함되어 있다.

우리는 그때 청개구리였다. 교제하는 것을 알게 된 부모님이 우리의 만남을 말렸다. 우리는 그때부터 더 가까워졌다.

1악장 후반의 열정의 격류가 가득한 음의 흐름 속에 김 선생의 눈빛은 태양 빛과 같이 강렬했다.

제2악장 Andante con moto[조금 느리게 걸어가는 속도]가 시작된다.

1악장의 아름다움에 황홀해진 사람들은 2악장에 이르러 일변하는 데 놀란다. 운명은 조용히 발소리를 죽이고 찾아온다. 애소와 탄원의 되풀이 속에서 불길한 가락이 고조된다. 그 불길한 음의 흐름은 우리를 슬프게 했다. 부모의 반대 때문에.

나약해 있는 나에게 김 선생은 강한 어조로, “나는 부모님 말씀을 다 순종해도 배우자는 내 뜻대로 할 것입니다.”

결혼이 완성인 줄 알았는데, 그는 무엇이 급했는지 60을 갓 넘기고 떠났다. 1997년 9월 28일 주일에. 오후 4시경 목사님이 예배를 드리고 가면서 저녁 예배를 마치고 다시 오겠다고 했다. 그 말을 들은 남편은 “이따가는 제가 없습니다.” 분명하게 말하는 소리가 병실 벽에 부딪혀 산울림처럼 메아리친다. 조카 목사가 다시 예배를 드리자고 한다. 성경을 읽고 찬송가를 부르며 기적이 일어나게 해 달라고 간곡히 기도한다. 다시 엄숙한 시간이 흐른다. 나는 그 순간 두려운 생각이 엄습해 왔다. 임종이 가까운 순간에는 천사와 마귀가 동시에 나타나서 서로 데려가려고 한다는 말을 들은 적이 있다.

찬송가를 계속 부르면 마귀들이 접근을 못하고, 천사들의 품에 안겨 평화롭게 떠날 수 있다는 것이다. 나는 마음이 급했다. 남편이 즐겨 부르는 찬송가, 495장, 133장, 494장을 정신 없이 불렀다. 494장 2절을 부르는 순간, 남편은 실눈을 뜨고 나를 바라보며 엷은 미소로 화답한다. 내 마음의 불안은 사라지고, 3절을 최선을 다해 부르는 순간, 막내딸의 비명 소리가 들린다.

"아빠." ……… 심전도기의 표가 일자를 그으며 멈춘다.

작은시누가 "네 처 찬양 듣고서야 떠나는구나, 찬양 듣고서야…" 울부짖는다. 가족의 통곡 소리를 들으며 나는 마치, 이웃집 문상 온 것처럼 가족을 위로하며 "그만 하세요, 천국 가면 다시 만날 수 있는데" 하며 멍하니 서 있었다.

그와의 삶 한 토막이 태양처럼 떠오른다.

결혼 전, 1959년 이천에 양정여자 중·고등학교 교사 시절, 엄격한 교장 선생님은 주말마다 찾아오는 김 선생을 누구냐고 물었다. 나는 오빠라고 얼버무렸다. 그 후 김 선생은 오는 것을 포기하고 내가 한 달에 한 번씩 가기로 약속을 했다. 그의 편지는 계속 이어졌다. 어느 날의 편지 한 토막이다.

영, 사색의 세계는 한이 없는 것이고, 아름다운 꿈은 꿈만이 아닐 것입니다. 꿈은 우리 앞에 찬란하고 아름다운 결실을 맺어 줄 것입니다. 마치 가을에 오곡백과가 익듯이.

지난번 내가 갔을 때 왜 오빠라고 했어요. 그 후 교장 선생님께 기합을 받았다고 했는데 어느 정도 야단맞았는지 재미있게 써 보내 주어요.

이번 주말은 약속을 어기면 안 돼요. 꼭 올라와요. 기다리다 지쳐서 세상을 포기할 수도 있으니까요. 바보라고 해도 좋아요.

1959년 6월 11일 학교 실험실에서 '수'

나는 이웃집 문상을 와 있다. "울지 마세요, 천국에서 만날 수 있는데." 가족들을 위로하며 다닌다.

작은시누의 음성이 아득히 먼 곳에서 들린다.

"올케야, 정신 차리려무나, 정신 차려."

미완성 교향곡 2악장이 아쉬움과 아름다운 여운을 남겨 빛나듯이, 그와의 삶 또한 못다 함 속에서 영원히 빛난다.

당면의 추억
– 외손자 제와 진의 질문에

『봄의 소리 왈츠』 표지 사진

1960년 나는 동교동 산 9의 7번지로 시집을 갔다. 시댁은 15평짜리 흙벽돌집으로, 현관에 들어서면 오른쪽, 왼쪽, 앞쪽에 방 세 개가 있고 앞쪽 안방을 통과하면 부엌이 있었다. 부엌 밖, 뒷마당에는 우물이 있고 우물 옆에는 납작한 돌을 고정시켜 빨래를 할 수 있는 자리를 만들어 놓았다. 대지는 45평, 화장실은 대문 안, 왼쪽 끝에 자리하고 있었다. 한겨울이 되면 환히 내려다보이는 배설물이 얼어서 산이 되었다.

안방에는 시부모님과 손위 시고모 세 분이 계셨고 시아주버니 내외는 현관 왼쪽 방을 쓰셨다. 우리의 신혼 방은 현관 오른쪽에 있었는데 얼마나 좁은지 장과 화장대를 놓고 나니 넓은 요 하나 깔면 꽉 찼다.

친정집 생활과는 너무 다른 환경이었지만 화장실 말고는 불편함이 없다고 생각했다. 남편은 "방이 좁으니 더 친해질 수 있어 좋지"라며 나를 바라본다. 난 "우리 방이 좁아도 소꿉놀이하는 것 같아 재미있어요"라고 대답했더니 남편은 "사실은 큰집에서 살던 당신에게 너무 미안한 마음이 있어"라며 안아 준다.

친정집은 정원이 넓은 큰집이라 생활하기 편했고, 모든 것을 다 갖춘 부잣집이었다. 육 남매를 둔 내 부모님은 학구열이 강해 그 당시 가정교사를 두었으니 우리는 부모덕에 원하는 학교에 다 입학할 수 있었다. 남편 말대로 환경은 전혀 달랐지만 나는 마냥 행복했다.

독실한 믿음의 가정에 시집가는 것이 사춘기 때부터 바람이었기 때문이다.

아버님의 찬송가가 새벽잠을 깨운다. '지난밤에 잠 잘 자게 해 주시고…' 하는 새벽 찬양을 부르시는 아버님의 음성은 테너 가수 못지않은 미성이다. 나는 언제나 찬송소리를 들으며 아침을 준비했다.

오늘은 닭국을 먹는 특별한 날이다. 언제나 그렇게 해 왔듯이, 닭 한 마리를 푹 익혀놓고, 당면을 삶아 채에 바쳐 물을 뺀 후, 양념을 준비해 안방 쪽문 앞에 들여 놓으면 어머님이 익힌 닭 뼈를 추려 내고 살을 잘게 찢어서 갖가지 양념을 넣고 고루고루 무쳐놓은 다음, 국 사발 7개에 당면을 넣었다.

시집을 간지 몇 달이 지난 나는 눈치가 뻔한 터라, 그날도 당면을 넣는 모습을 유심히 봤다. 아니나 다를까 출근하는 형님(동서) 국 사발에는 당면 양이 적고 내 국 사발은 당면 양이 많았다. 반대로 닭살은 형님의 것은 많고, 내 것은 적었다.

당시 나는 교사생활을 잠시 쉬고 있었고, 형님은 숭의여고 수학교사 생활을 계속하고 있었다.

얼마나 형님 국 사발이 부러웠는지… '왜 차별을 하실까, 아무 잘못도 없는데, 어제 내가 삼층밥을 해서일까, 연애결혼을 해서일까'라고 생각하며 속이 상했지만, 곧 사실을 이해했다. 형님은 출근을 하기 때문일 것이라고….

식사 후 아버님은 추려낸 닭 뼈를 지근지근 씹어 뼛속 칼

숩국물을 빨아 잡수셨다.

6·25전쟁 직후, 황해도에서 가족과 함께 피란 온 아버님은 김포장로교회에서 목사님으로 시무하시게 되어, 생활은 유지할 수 있었지만 넉넉한 형편은 아니었다. 목회 은퇴 후, 아버님은 서울 시청에서 피난민을 위한 그 흙벽돌집을 장만하셨다. 당시 그 동네 주택 이름이 난민주택이라 했다.

'그 당시 그렇게 어려웠던 사정을 내 아이들과 손자 손녀가 알 리 없다.'

오늘은 2006년 12월 6일 수요일.

딸에게 전화가 걸려왔다.

"엄마, 의사학회에서 크리스마스 파티가 있어 조금 늦으니 기다리지 마시고 아이들과 먼저 식사하세요."

"알았어, 걱정하지 마."

나는 외손자들에게 "닭죽 먹을래, 카레 먹을래"라고 물으니, 말이 떨어지자마자 "나는 카레 나는 닭죽" 한다.

나는 닭죽을 만들어 손주들과 같이 먹으며, 추려 놓은 닭 뼈를 자근자근 씹어 뼛속 칼슘을 빨아 먹고 있는데, 손자들이 동시에 묻는다.

"할머니, 할머니는 왜 뼈만 먹어."

무의식중에 닭 뼈를 씹고 있던 나는 불현듯 옛날 시아버님 모습이 생각나 그 당시의 어려웠던 생활과 음식의 소중함을 설명하면서 모처럼 손자들과 대화를 나누었다.

마포구 동교동 산 9-7번지는 현재 서대문구 창천동 304번지로 49년 동안 주소가 세 번 바뀌었다. 지금 집은 30여 년 전 집이 하도 낡아서 친정아버지가 미니 2층으로 개축해 준 아담한 돌집으로 유럽 스타일의 집이다. 3대가 살아온 추억의 집은 1997년 9월 28일 남편이 천국으로 이주한 후, 담을 허물고 빨간 벽돌로 꽃밭을 만들어 베고니아를 심었다. 남편이 떠난 후에도 홀로 지내고 있는데, 딸은 엄마 홀로 있는 것이 불안한지, 같이 살아야 한다는 권유는 끝이 없다.

2008년 봄에 집을 팔았다. 2, 3년 지난 후 그 동네를 가봤다.

나의 역사의 둥지는 온데간데없고 아담한 원룸을 만들

어 여러 학생들이 살고 있는 것 같았다.

손자들의 질문에 시어머니가 넣어 주시던 '당면 닭국' 그 국그릇이 눈앞에 서성거리며 타임머신 열차가 당시의 원탁상으로 나를 안내해 그리움을 안겨준다.

2020년 9월 5일 토요일이다.

이른 아침, 햄버거를 사러 갔다. 신분증과 이름, 폰 번호를 적어야 구입할 수 있는 시대다.

코로나19, 긴 장마와 태풍, 온라인 예배로 78억 인구가 떨고 있다. 태어나 처음 겪는 두려움의 시대다. 그러나 주께서 항상 기뻐하라 하셨으니, 성령의 은혜로 감사와 기쁨으로 '당면의 추억' 글을 마무리한다.

봄의 소리 왈츠

어느 날, 소꿉친구를 만나 얘기하던 중, 친구는 "너 요즘 글 안 쓰니"라고 묻는다. 난 "글쎄, 쓰고는 있지만"라고 애매하게 대답을 했더니, 친구는 자기 친척 중, "평생 억울하게 사는 이가 있는데 얘기해 줄 테니, 한 번 써 보지 않을래?"라며, 연속극 보듯이 구체적으로 이야기해 준다. 나는 그 여인이 너무 딱해 분통이 터져 참을 수가 없어, 그 여인의 심정으로 글을 쓰기로 하고, 당사자에게 글을 써도 좋다는 허락을 받아 오라고 했다. 다음 날 승낙한다는 전화가 왔다.

내 삶의 억울함 날리고 싶어

푸르름이 우거진 여름, 대가大家 집 안방에서 아기 울음 소리가 들린다.

또 딸이라는 산파의 말에 산모는 우울해진다. 아기 이름은 '옥순'이로 할아버지께서 지어 주셨다. 옥같이 아름답고 순하게 자라라는 뜻이다.

옥순이가 어렸을 때 아버지는 틈만 나면 냇가에서 물장구를 치며 놀아 주었고 동화책을 읽어 주었다.

그 시절이 2차 대전 중이라 일본인들도 마을의 유지有志인 그 집을 감시하면서도 옥순이 아버지의 경제적인 힘에 함부로 하지 못하고 자기네 나름대로는 무기 공장 자금을 모금하는 것이라며 당당히 구걸을 했다.

옥순이의 큰오빠는 일본으로 유학 가서 독립운동을 하는 친구들에게 군자금을 조달했다. 오빠는 많은 어려움을 겪으면서 공부를 마쳤지만 일본인들에게 많은 고통을 받으며 8월 15일 해방을 맞이했다.

당시 옥순이는 초등학교 6학년, 우수한 성적으로 졸업해, 지방에서 도시에 있는 명문학교에 당당히 입학했다.

사춘기로 접어든 옥순이의 등·하굣길에는 언제나 남학생들이 따랐다. 편지도 쉴 새 없이 보내 왔다.

그 중 한 명, S중학교 학생과는 서로가 마음에 들어 편지를 주고받으며 옥순이의 삶이 바뀔 때까지 그리움을 나누었다.

옥순은 자기보다 한 살 위인 석진이와 순결한 사랑을 뿌리 내려갔다. 방학이 되면, 개방적인 가정의 석진이 집에서 노래를 좋아하는 석진이와 음악을 감상했다. 석진이 집에는 파이프 오르간도 있었다.

두 집은 서로 잘 아는 사이라 집안 어른들은 둘 사이의 만남을 모르는 척했다. 석진은 옥순이가 놀러 올 때마다 콜로라투라 소프라노, 릴리폰스가 부르는 봄의 소리 왈츠를 들려주면서 설명을 해 주었다.

어느 해, 여름방학 때는 석진과 옥순이가 한강에 놀러 갔다가 동네 사람을 보고 줄행랑을 쳤다. 그 당시는 남녀가 연애하는 것을 흉 거리로 생각하며, 말이 많을 때였다. 그들의 사랑은 이렇게 차분히 깊어 갔다.

옥순이가 중3 때 아버지가 교통사고로 돌아가셨다.

아버지는 죽음을 예측이라도 했는지 유언장은 이미 구체적으로 작성되어 있었다.

큰오빠에게 당부한 유언장에는 '언젠가 내가 이 세상을 떠나거든 나이 어린 옥순이를 네가 돌보아라. 영리하고 공부에 욕심이 많으니 네가 대학은 물론 유학까지 보내어 돌봐 주어라. 재산 분배도 유언장대로 옥순이 몫은 성인이 되면 주어라'고 쓰여 있었다.

오빠는 딸 둘, 아들 하나, 삼 남매를 두었다. 옥순이가 고모지만 조카들은 같은 또래였다. 맏이는 막내와의 나이 차이가 25년 차이기에 어머니가 18세에 오빠를, 막내인 옥순이는 43세에 낳으셨다.

날이 갈수록 올케의 눈초리가 마음에 걸렸다. 무서운 생각도 들었다. 엄마는 오빠와 올케 앞에서 순한 어린 양같이 힘이 없었다.

옥순이는 아버지가 보고 싶을 때면 아버지와 같이 찍은 사진을 꺼내어 보는 것이 낙이었다. 레이스 달린 예쁜 원피스를 입고 찍은 사진을 친구들에게 보여 주면 친구들은 "너는 공주야 어쩜 그렇게 멋있니"라는 말을 하고 부러워했다. 그런 일들이 어제 같은데, 옥순은 아버지를 그리워했다.

옥순이는 아버지의 유언장에 써 있듯이 미래에 대한 꿈이 커 최선을 다해 공부하면서 대학생이 된 자기 모습을 그려 보며 희망에 차 있었다. 그러나 오빠와 올케는 옥순이 대학 진학 문제로 자주 싸움이 벌어졌다.

엄마는 그 와중에도 말 한마디 못하고 오빠와 올케의 처분만 기다리는 눈치였다. 장남이 그렇게 대단한 것인가, 엄마는 왜 언제나 절절매며 살고 있는 것일까. 옥순이는 힘이 없는 엄마가 미웠다.

오빠는 결국 아버지의 유언을 지키지 않고 옥순이를 동네 평범한 집 남자에게 시집을 보냈다.

꽃다운 나이 스물두 살 때 일이다.

옥순이는 자신이 싫었다. 사랑하는 석진을 뒤로한 채, 오빠가 시키는 대로 한 자신의 무능함과 옥순의 입장에서 도와주지 못하는 엄마가 미웠다.

옥순이는 미래의 꿈이 좌절된 상태에서 결혼생활이 시작되었지만 시댁의 대소사 일을 해내면서 살아가야 했다.

옥순의 딸, 막내가 유치원 때 일이다. 밤늦게 귀가한 남편은 여자 손님이 당분간 집에 와 있게 되었다며 손님을 안

방에 모셔야 한다고 옥순이를 건넛방에 가서 자라 했다.

순진한 옥순이는 새벽에 일어나 손님을 위해 정성껏 음식을 장만해 남편과 겸상을 해 대접했다. 당분간만 있겠다던 손님은 아예 옷 보따리를 가지고 들어와 몇 달이 지나도 갈 생각을 하지 않았다.

그제서야 정신이 난 옥순이는 밤마다 남편이 생쥐 같이 안방을 들락거리는 이유를 알았지만 어찌 할 도리가 없었다.

초등학교에 다니는 아이들은 눈치가 뻔해, 아버지가 첩을 얻었어도 아무 말 못하는 엄마가 미웠지만 아이들 역시 무서운 아버지에게 말 한마디 못했다.

그 여자는 점점 더 당당해지고 남편은 소리 없는 구박을 했다.

옥순이는 오빠가 야속했다. 이런 곳으로 시집을 보낸 것이.

얼마 후 남편은 또 다른 여자를 데리고 들어와 전 같은 일을 반복했다. 이번 여자는 임신까지 했는데 유산을 해, 옥순이가 정성껏 돌봤다.

그 여자는 양심이 조금 있는지 옥순이에게 고맙다며 의

좋게 살자고 했다. 동네 사람들은 옥순이가 착한 것인지 바보인지 분간이 안 된다며 안타까워했다.

여자의 행동은 잠시뿐, 점점 사납게 변해갔다. 남편의 재산을 자기 것으로 만들어 보자는 속셈이었다.

이 꼴, 저 꼴 보며 살 수밖에 없는 옥순이는 우울증에 빠지고 자살 기도도 하지만 아이들 때문에 죽을힘을 다해 살아갔다.

남편은 세 번째 여자와 결국 집을 나가 버렸다. 그의 행방은 아무도 모른다. 이 세상에 있는지, 없는지 찾을 길도 없다. 그래도 아이들 아버지라고 궁금했었는데, 언제부턴가 옥순이는 포기해 버렸다.

옥순이는 갖은 고생을 하며 아이들 공부시키고 출가까지 시켰다. 옥순이는 공인으로 살아가는 자식들을 보며, 감사의 기도를 드리며 살아가고 있다.

옥순이는 아들 내외, 손주와 살면서, 아들과 며느리가 직장을 나가기 때문에 손자를 키우며 살림을 전적으로 맡아 했다. 여리고 착한 옥순이는 친정 엄마의 성품을 닮았는지 며느리의 눈치를 보며 최선을 다해 살림을 해주지만,

며느리는 무엇이 못마땅한지 투덜대기 일쑤다. 그러나 아들은 효자다. 아들의 권유로 옥순이는 요즘 묵화를 배우고 있다.

우울증에 시달렸던 옥순이의 마음도 이제는 서서히 회복되면서 그 옛날 사랑했던 석진을 생각하며 글을 써 내려간다.

석진아!
어느새 나 황혼의 끝자락에
서 있는데, 60년 세월 동안
너 잊고 살다, 지난 세월
노예처럼 살아온 나
너무 억울해 울다가
너의 모습 영상에 떠올라
미소 짓는다.

석진아
그때, 그 일 생각나니
한강에 놀러 갔다가
동네 사람 멀리서 보고

걸음아 날 살려라 줄행랑치던 일
아무튼 사춘기 때
너랑 사랑이란 걸 해 봤으니
복된 여자 아니겠니

석진아
너, 지금 어디에서
살고 있니
보고 싶다

널 만나면 너랑
꼭 해보고 싶은 것
하나 있어
네가 항상 흥얼대던
요한 스트라우스의
봄의 소리 왈츠에 맞추어
너와 춤추며
내 삶의 억울함 날리고 싶어.

평범한 하루하루

『별은 빛나건만』 표지 사진

찬란한 여명과 함께 하루를 연다

예배를 드리고 CTS 방송을 들으며 내가 즐기는 원두커피를 마시며 가벼운 식사를 한다. 언제나 밥은 꿀맛이다. 언제부터인가 컴퓨터 앞에 앉아서 몇 줄의 글을 쓴다. 아침 7시에 출근하는 가족을 위해 가벼운 아침을 준비한다.

7시 30분부터는 행복한 전쟁을 치른다. “애들아 일어나 학교에 가야지” 잠이 많은 손자들은 일어나라는 아우성이 여러 번 반복 되어서야 겨우 일어나 학교에 간다.

주일 새벽에는 6시 50분까지 교회(야탑동 동문교회)에 나가 8시부터 드리는 1부 예배를 위해서 찬양대를 지도한다. 연습시키는 과정도 감사와 기쁨이 넘친다.

눈부신 태양 앞에

매일 반복되는 일상 앞에서 최선을 다 하려고 노력한다. 딸이 부탁한 그날 그날의 일과, 나의 매일 매일의 스케줄은 바뀌지만 수요일 오전에는 수필교실에서의 내 자리를 지킨다. 금요일은 K41 콰이어(여고 동기동창 합창반)를 지도한다. 스케줄 사이사이에 잠시 시간을 내어 수십 년 동안 만나고 있는 친지와 교우들, 동창을 만난다. 자유로운 시간에는 수영장에 가서 수영을 한다.

나는 지하철 타는 시간이 길다. 주내에 며칠은, 한 번 타면 왕복 네다섯 시간이다. 피곤해서 졸 때도 있지만 보통은 책을 보거나 악보를 보며 다닌다. 노래는 즉흥 예술이기 때문에 무대에 올라 연주할 때 아차 하는 순간 실수하기 쉬워 최선을 다해 연습해야 한다.

축하연이 있을 때 노래를 가끔 부탁받고 있으니 얼마나

감사한 일인가. 나이 들면 목소리도 녹슨다는 데 내가 아직 노래 부를 수 있는 것은 연습할 때 발성법을 바탕으로 편하게 낼 수 있는 기법을 나 나름대로 개발했기 때문이다.

첫째도 둘째도 욕심껏 소리를 내지 않는 것이다. 그 기법이 어쩌면 기운 없는 소리로 들릴 수 있으나, 듣는 이들이 편하게 들을 수 있다.

귀가 후, 한 시간 정도는 나의 애창곡을 부르며 피로를 푼다. 곡에 따라 추억의 화면이 현재의 일처럼 스쳐간다. '슈베르트의 세레나데'를 부를 때는 대전 피난시절이 전개되고 '아름다운 꿈'과 오페라 아리아 '별은 빛나건만'을 부를 때는 효창공원에서 사랑하는 이와 데이트하던 장면이 현실처럼 느껴져 마냥 행복하다.

'할머니' 소리와 함께 아름다운 추억의 재연은 접어두고 학교에서 돌아온 손자들과의 떠들썩한 생동감에 또 다른 행복을 만끽하며 저녁시간을 보낸다.

아 – 황홀한 황혼…

서산에 걸린 노을 탓에 가슴이 뛴다.

노을 속 스크린에 그리운 얼굴들이 스쳐 간다.

하루를 마감하기 위해 황혼은 훨훨 타 오르나보다.

사랑하는 이와 노을, 불꽃 속에서 마냥 살고 싶다.

노을이 여명을 위해 휴식을 하나보다.

아파트 창에 하나 둘 불빛이 새어 나온다. 눈에 넣어도 아프지 않은 손자들과 다시 행복한 전쟁을 치르고 11시 경에 내 방에 들어와 자리에 눕는다. 회개할 그 무엇을 찾는다. 오늘도 반성할 상한 열매가 우수수 쏟아진다.

다람쥐 쳇바퀴 도는 평범한 하루하루가 얼마나 감사한지 감사기도 드리다가 잠이 든다.

별은 빛나건만

"영숙 학생, 그 대학생 또 왔어요."

아래층에서 이층을 향해 아주머니가 소리를 지른다. 오늘은 어머니가 외출 중이어서 편하게 나갈 수가 있어 좋다. 초봄 휴일이라 효창공원에는 산책하는 이들도 간간이 보인다. 김 선생은 물들인 검정색 군복을 입고 나에게 빌려간 이화여대 잡지를 돌려주며 "잘 읽었습니다"라고 깍듯이 경어를 쓴다. 나는 그 경어가 거리감을 주어 듣기 싫었지만, 아직은 익숙한 사이가 아니기 때문에 말을 놓고 지내자고 할 수 없다.

오늘도 김 선생은 내가 기대하는 말이 없다. 쌀쌀한 바람이 겨울 끝자락에 머물러 있어 목을 움츠리게 된다. 김 선생은 내가 추워하는 모습을 보고 누나가 짜서 주었다는 국방색 목도리를 나에게 둘러준다. 그 순간 그의 손이 내 목을 스쳐 간다. 그 전율을 무어라고 표현할지….

김 선생이 입을 연다. "조 선생님, 지난번 만났을 때, 오늘은 하루 종일 제가 하자고 하는 대로 하기로 했지요"라고 확인을 한다. 나는 "네"라고 답하며 그가 강하게 말하는 억양에 기분 좋았다.

울창한 나뭇가지 사이로 어느새 초승달이 노을과 함께 산책한다.

김 선생은 "돌아오는 주일에 찬양대에서 우리 곡 중, 이중창을 하기로 했지요. 오는 주일까지 외울 정도로 연습해 오라고 지휘자가 말씀하셨는데 지금 몇 번 불러 볼까요." 나는 "네"라고 답하고는 먼저 부르기 시작했다.

'아름다운 곳 주의 동산 밝고도 화려한 동산에 가보세 천사의 노래 아름답게 들린다 아름답게 들린다.'

우리가 연습하는 노래 소리에 나무와 사람들의 시선이 우리를 향해 있다. 산책하는 두 노인은 "요즘 젊은 것들은 시도 때도 없이 저렇게 떠들어 대니 한심해 쯧쯧…" 혀를 차며 지나간다. 우리는 무얼 잘못했는지 모르지만 그 자리를 피했다.

밤하늘의 달과 별이 선명하게 보인다.

김 선생이 입을 연다. "아직도 어머님이 나와의 만남을 싫어하시나요." "네," 김 선생은 답답한지 말없이 한참을 걷다가 "걱정 말아요. 언젠가는 허락하실 거예요."

나는 화제를 돌렸다. "지난 주에 염희택 교수의 따님, 피아노를 지도할 수 없느냐고 물으셨지요. 주말에는 할 수 있어요"라고 말하자, 김 선생은 "그래요. 교수님이 기뻐하시겠네요." – 나는 답을 해 놓고 거리가 멀어 걱정을 했지만, 피아노 지도 후에 김 선생과 만날 생각을 하니, 먼 거리는 문제가 되지 않고 오히려 기쁘다.

교수님 댁은 태능 가까이, 서울공대 부근에 있어, 그곳에 갈 때마다 김 선생의 친구들을 만나게 되고 심지어는 김 선생의 금속과 지도교수까지 알게 되었다. 교수님은 나를 볼 때마다 "음대생이라지?"라며 언제나 같은 말을 물으신다.

효창공원의 밤이 깊어간다. 나뭇가지 사이로 호떡을 만

들어 파는 포장마차의 카바이드 불빛이 여기저기 보인다. 김 선생은 숙명여자대학교 정문 앞에 달려가 호떡을 사가지고 와 "따뜻할 때 먹어요"라며 준다. 나는 김 선생이 호떡으로는 저녁을 대신할 수 없는 것 같아 갈월동 길 건너 중국집에서 자장면을 먹자고 했다. 김 선생은 대답 대신 갑자기 노래를 부르기 시작한다.

Oh! dol_ci ba_cio lan_gui_de ca_rez_ze. men_tr'io fre men_te le for_me di_scio_gliea dai ve_li!…

나는 그의 애절한 오페라 아리아 '별은 빛나건만'에 푹 빠졌다. 그의 눈에는 눈물이 고인 듯, 목이 메어 부른다. 이 밤, 나는 그가 나를 얼마나 사랑하는지 확인하게 되어 마음이 뜨거워진다. 요즘 어머니는 좋은 가문의 아들이 있으니 선을 보라고 독촉이어서 마음이 흔들렸는데 이제는 선을 보라고 말해도 절대 보지 않는다는 다짐을 하게 된다.

어느새 포장마차의 카바이드 불이 하나 둘 꺼진다. 나는 놀라서 "차를 놓치면 어떻게 해요. 빨리 가세요"라고 말하자, 김 선생은 "괜찮아요. 지난 번 만났을 때도 통행금지에 걸려 동대문 파출소에서 잤어요."

우리는 우리 집 가까이 와, 다음의 만남을 약속하고 헤어지려는 순간, 어머니가 대문 앞에서 기다리고 섰다가 "김 선생, 아직 학생인데 졸업 후에 데이트해도 늦지 않다고 몇 번이나 말했어요"라고 퉁명스럽게 얘기하곤 내 손을 잡고 들어가며 "네가 지금 몇 살이냐, 스물하나야, 왜 이렇게 말을 안 들어."

나는 어머니의 말이 귀에 들어오지 않고 '김 선생이 통행금지에 걸리면 어쩌나' 하는 걱정에만 사로잡혀 있다.

밤하늘의 별이 오늘따라 아름답다.

축음기 태를 감고, 'GIACOMO PUCCINI의 TOSCA' 3막에 나오는 토스카의 애인 카바로돗시가 임박한 처형시간을 앞두고 유서를 쓴 후, 토스카와의 추억을 회상하며 비탄에 잠겨 부르는 아리아 '별은 빛나건만'을 들으며 창 밖의 별에게 우리의 사랑이 토스카와 카바로돗시처럼 비극으로 막이 내리지 않게 해달라고 호소한다.

아름다운 주홍글씨

2009년 4월 19일 새벽 CTS 방송에서 들은 어느 교회 여성도의 간증이다. 나는 이 감동적인 간증을 듣지 못한 이들에게 알리고 싶다.

여인의 남편은 어느 날, "여보 나 왔어 이 꽃 받아, 오늘은 당신 귀 빠진 날이지." 호들갑을 떨며 들어온다. 부인은 "웬 꽃"이라고 말하며 꽃을 들고 행복해 한다. 부부는 와인을 마시며 생일 파티를 한다.

남편은 하루가 멀다 하고 사랑의 표시를 한다. 순진한 부인이 남편의 변화된 모습에 감격하며 지내던 어느 날, 남편은 어색한 얼굴로 “여보 고백할 것이 있어. 우리에게 아들이 생겼어.” 부인은 뚱딴지 같은 말에 “양자라도 들여오려고” 되묻는다. 남편은 고개를 흔들면서 “내 아들이라니까. 다음 달이 돌이야.” 남편은 죄책감도 없는 표정으로 태연하게 말한다.

부인은 날벼락 같은 말에 아무 말 못하고 넋 나간 듯이 서 있다가 옆방으로 가서 통곡한다. “하나님 1년 전, 나이 든 제가 임신한 것이 부담스럽고 부끄러워서 낙태한 것을 어찌 아시고 이런 방법으로 벌을 주십니까.” 자책하며 우는 눈물이, 눈물샘이 터진 듯 눈물을 흘렸다고 부인은 고백하기 시작한다.

부인은 자기 죄의 대가라고 생각하면서 아가와 아기의 엄마를 받아들이고 남편은 양쪽 집을 오가며 생활하게 한다. 첫돌에는 떡과 금반지를 아기에게 선물하고 아기를 자기 아이처럼 사랑하려고 노력하면서 산다. 부인은 신앙이 성숙해지면서 남편과 아기 엄마가 불쌍하다는 생각이 들어 매일같이 그들을 위해 기도를 드린다.

“주님 그들을 불쌍히 보시고 믿음으로 인도하여 주소

서." 부인의 기도가 하나님께 상달 되었는지, 어느 날, 그 집을 방문해서 교회에 나가지 않겠냐고 묻는 순간 그들은 주저하지 않고 그렇게 하겠다고 한다.

부인은 목사님에게 사실대로 소개하면서 그들을 교회에 등록시키고 같이 다니기 시작했지만 마음이 편치 않다. 교우들에게 공개되지 않은 상태여서 마음은 언제나 움츠러들고 숨고 싶은 심정이다.

남편의 신앙이 싹틀 무렵에 남편은 목사님께 "왜 나에게 직분을 주지 않습니까." 항의한다. 목사님은 "가정을 정리하세요." 남편은 아무 말 못하고 고개를 숙인다. 남편은 6년 열애 끝에 결혼한 조강지처를 떠날 생각이 전혀 없지만 아기 엄마가 애처롭다는 생각을 하면서 기도에 힘쓴다.

어느 주일, '아브라함과 사라'의 설교 말씀에 은혜 받은 남편은 양쪽 집을 오가는 자기생활이 옳지 못하다는 것을 크게 뉘우치고 결단을 하게 된다. 조강지처에게는 용서를 구하고 아기 엄마에게는 양육비와 생활비를 주기로 합의하고 자기 아이들에게는 아빠의 실수를 고백하고 용서를 구한다.

부부는 새 출발을 해서 마음이 후련해야 되는데 그렇지 못하고 항상 교우들을 피하고 싶다는 생각이 들어 힘이 든다. 목사님만 알고 있는 가정 문제를 교우들이 알게 되면 어떻게 하나라는 두려움 때문이다.

남편은 부인에게 "마음이 왜 이렇게 불편하지 아직도 내가 모든 이들에게 숨기는 것이 있어 그런 것 같아 차라리 주일마다 가슴에 '주홍글씨'를 써서 붙이고 성경공부 방에 들어가는 것이 편할 것 같아." 그 후, 남편은 전 교인 앞에서 자기의 죄를 고백하고, 주일마다 '주홍글씨'를 가슴에 붙이고 봉사한다.

부부의 가정사가 전 교인에게 알려진 후에 그들은 자유로움을 회복하고 활발하게 생활하고 있다. 부인의 간증, 마지막 부분에서 나는 지금 행복합니다. 남편이 요즘은 나보고 "당신은 나이 들수록 점점 귀여워져"라고 말하는 것이 거짓이라 할지라도 기쁘다고 말하며 환하게 웃는다.

이 부부가 다니는 교회 목사님의 설교 중에 귀 담아 들어야 할 이야기는 간증하는 사람들이 간증한 후에 교우들의 시선이 곱지 않아서 이미 하나님께는 용서를 받고 자유롭게 되었지만 교우들의 시선과 수군거리는 말에 상처를 받는다고 말씀하신다.

사람은 누구나 실수와 후회를 반복하며 산다. 실수의 방향과 종류가 다를 뿐이다. 위의 부부가 아름다운 결론을 내린 것은 그들의 신앙이 바탕이 되어서 용서와 회개의 눈물이 있었기 때문이다.

죄를 범했을지라도 온전한 뉘우침으로 하나님께 용서 받은 후에는 마음의 평안과 자유를 얻는다. 이 세상에 죄 없는 사람은 한 명도 없다.

모든 인간은 원죄를 안고 태어나기 때문이다. 죄는 묘한 것이어서 세상 사람들에게 공개되지 않으면 자기 자신이 남이 모르는 범죄를 저질렀다 할지라도 은폐하려 한다. – '죄 없는 자' 같이 편한 마음으로 살면서 죄 드러난 사람에게 손가락질하는 실수를 범하게 된다.

주일마다 가슴에 주홍글씨를 붙이고 봉사하는 남편의 모습은 남의 시선을 의식하지 않고 가장 낮아진 자세와 회개의 눈물로 용서 받고 자유로움을 얻은 용기 있는 '아름다운 주홍글씨'의 주인공이다.

위 글의 주인공인 남편도 헤스터 프린 못지않은 어려움을 이겨내고 가장 낮아진 상태로 용감한 고백을 한 사람으로서 사람들의 존경을 받는 현대판 '주홍글씨'의 주인공이다.

비록 가슴 위에 주홍글씨를 붙였지만 그의 가슴 속은 참 자유를 얻은 것이다.

그는 이제 자유인이다.

포장마차

『마왕』 표지 사진

기흥역이 지하철 종점으로 된지 몇 달이 지났다. 우리 집 교통이 얼마나 편리해졌는지 모른다. 오늘도 볼일을 보고 기흥역에서 내려 뛰어 올라가보니, 마을버스가 막 떠나버린다. 25분 간격으로 오는 버스라 기다리는 시간이 지루해, 사람 없는 나무 그늘에서 흥얼대며 노래하고 있는데, 포장마차에서 풍기는 멸치국물 냄새가 내 발걸음을 그쪽으로 옮기게 한다. 국수를 파는가보다 생각했는데 메뉴는 다양하게 붕어빵과 순대, 어묵, 핫도그, 강냉이를 진열해 놓고, 건장한 남편과 복스러운 아내가 손님맞이를 준비하고 손님을 기다린다.

나는 "안녕하세요. 이렇게 다양한 메뉴가 있는지 몰랐어요. 어묵 한 꼬지 얼마에요"라고 물었다. 주인은 "오백 원입니다"라고 한다. 나는 놀라 "오백 원요?"라고 다시 물으며 어묵 한 꼬지와 어묵국물을 마시면서 아무리 계산을 해도 이익이 남지 않은 장사를 하는 것 같은 생각이 들었다. 나는 주인에게 "이렇게 싸게 파시고도 이문이 남나요?"라고 물으니 주인은 "박리다매지요"라고 답하며 환하게 웃는다.

나는 그 후, 차를 놓칠 때마다 그곳에서 붕어빵이나 순대를 사먹으며 이런저런 이야기를 나누다 보니 단골이 되었다. 눈이나 비가 내릴 때 잠시 쉬어가는 주막집 같은 느낌도 들어 정겹다.

어느새 오월, 벚꽃과 개나리가 지고 난 뒤, 철쭉이 눈부시다. 길가에 간간이 노란 민들레가 수줍은 듯 피어있다. 오늘따라 하늘에는 뭉게구름이 은백색 옷을 입고 떠다닌다.

오늘도 차를 놓쳐 포장마차에서 핫도그를 사들고 버스정류장 뒤, 벤치에 앉아 눈부신 하늘의 뭉게구름 속 구름카페로 향했다. 그곳은 시공을 초월한 카페여서 과거, 현재, 미래의 사람들을 만나 이야기를 나눌 수 있어 좋다.

나이 들면서부터 시간이 번개처럼 스쳐간다. 하루의 일과를 짜임새 있게 즐기며 살고 있지만, 공백의 여유로운 시간은 모르는 사람일지라도 눈이 마주치면 넉넉한 마음으로 미소 짓는 것이 습관이 되었다.

미국에서 살 때 느낀 것은 그들의 인사성이 얼마나 좋은지, 눈이 마주치면 "하이" 하고 스쳐 가든가 미소 지으며 지나간다. 한국에서는 지나가는 사람에게는 조심스럽게 인사를 한다. 문화가 다르기 때문인가보다.

오늘은 3,000원 하는 순대를 한 접시 사 먹으며 주인에게 "밤늦게까지 장사를 하시면 피곤하시겠어요. 1주에 하루는 쉬시지 그러세요" 했더니 주인은 "쉬다니요 쉬면 리듬이 바뀌어 더 피곤해요"라며 웃는다.

나도 그 말에 동감이다. 내 자신이 몸 관리를 하면서 느낀 것은 규칙적인 생활이다. 하루라도 운동하지 않고 앉아 있으면 몸이 더 무겁다.

포장마차, 주막집, 카페는 예나 지금이나 마음과 몸을 따뜻하게 해주는 아늑한 만남의 장소이자 쉬어갈 수 있는 낭만의 집이다.

마왕King of DarKness

마왕은 어느 시대, 어느 곳에서든지 존재하며 인간의 마음속에 그 씨가 도사리고 있다. 원죄를 갖고 태어났기 때문이다. 시대에 따라 마왕의 수법이 다양해지며 그 화려함이 눈부시다. 그는 형체도 없다. 영혼이 맑은 어린아이들은 그들의 화려함에 매혹되기 쉽다.

슈베르트와 괴테가 살았던 그 시대도 마왕은 서슬이 퍼래 어두운 그림자처럼 따라다녔다. 괴테가 쓴 시 마왕의 탄생은 덴마크의 설화로 전해지는 '마왕' 이야기를 실제로는 독립된 텍스트로 창작되지 않았다. 괴테가 이 이야기를 처음 접한 것은 독일의 문학가 헤르더(1744~1803)가 덴마크의 설화로 번역한 '마왕의 딸'이라는 작품을 통해서였다.

1815년 12월의 어느 오후, 18세가 된 슈베르트는 괴테의 시 '마왕'을 흥분 상태에서 큰 소리로 읽고 있었다. 책을 한 손에 들고 몇 번이고 방안을 서성거리다가 의자에 앉아 무서운 속도로 이 곡을 오선지에 써 내려갔다고 한다.

"바람이 부는 밤, 이토록 늦게 이 밤의 어둠을 뚫고 말을 달리는 사람은 누구일까? 사랑하는 아들을 꼭 껴안은 아버지가 아이를 감싸면서 말을 타고 달리고 있다.

아버지 : '얘야, 뭐가 무섭니? 그렇게 얼굴을 파묻고.'

아들 : '아빠, 말에 탄 저 마왕이 안 보이세요. 관을 쓰고 긴 옷을 늘인 저 마왕이.'

아버지 : '얘야, 그건 단지 구름 모양을 한 안개란다.'

악마 : '착한 아이야, 이리 온, 나하고 재미있게 놀자꾸나. 저기 예쁜 꽃도 많이 피어 있고, 우리 엄마 집에는 금옷도 있단다.'

아들 : '아빠, 아빠, 안 들리세요? 마왕이 상냥한 목소리로 속삭이는 저 소리가.'

아버지 : '얘야, 걱정하지 마라. 그건 바람이 마른 나뭇잎을 스치는 소리란다.'

악마 : '착한 아이야, 자, 이리 오너라. 내 딸들도 너를 즐겁게 해줄 거다. 그렇지, 매일 밤 술을 가득 부어놓고 거기서 춤추고 노래하며 웃고 있단다.'

아들 : '아빠, 저기 어두운 곳에 마왕의 딸들이 안 보이세요?'

아버지 : '얘야, 그건 아무것도 아니다. 봐라, 잿빛 같은 오래된 버드나무가 아니냐.'

악마 : '나는 네가 좋다. 자, 어서 이리 오너라. 내 말을 꼭 들어야 해.'

아들 : '아빠, 아빠, 이젠 틀렸어요. 마왕한테 꼭 잡힐 것 같아요. 마왕이 나를 끌고 가요.'

폭풍이 부는 밤, 아이를 데리고 급히 말고삐를 당기며 돌아가던 아버지는, 아이가 공포에 떨고 있는 것을 깨닫고 여러 가지로 용기를 북돋워 준다. 그러나 아이는 결국 죽고 만다. 마왕이 가련한 목숨을 빼앗았기 때문이다"라는 대화 시에 슈베르트는 단숨에 곡을 붙인 것이다.

이 가곡의 줄거리는 극적인 박력을 지닌 피아노 반주에

의해, 내레이터, 어린이, 아버지, 악마의 네 역을 구분 지어 노래해 간다. 또한, 후에 리스트는 이것을 피아노곡으로 편곡했다.

가곡 마왕('Der Erlkonig'Op.1)을 대학 시절에 지도교수가 연습해 오라고 해, 열심히 연습하던 중, 갑자기 그 곡이 싫어져 교수님께 안 하겠다고 말씀드렸다. 교수님은 이유를 물었다. 나는 단호하게 "내용이 너무 슬퍼요. 마왕이 어린 영을 파괴하는 기분이 들어요. 내가 어두워지는 것 같아요" 라고 줄줄 말씀드렸더니, 선생님은 "알았다. 그만" 하신다.

나는 요즘 갑자기 이 곡이 생각났다. 집집마다 인터넷 속에 마왕 박스가 도사리고 앉아 그 창을 열기만 하면 아이들과 청소년들은 마왕의 잔당들에게 매혹되어 밤을 지새우고 그 재미와 화려함, 자극적인 것에 취해 중독되어 간다.

맑은 영을 죽이는 그 내용들은 누가 만드는 것이며 인성을 사악하게 만드는 그것들을 왜 그려내는 것일까? 화가 난다. 그것도 문화라고 보급하고 있으니, 그 안에서 허덕이는 이들을 어떻게 구해낼 것인가. 과학 문명의 발달이 원망

스럽다. 컴퓨터와 스마트폰의 등장은 환영할 일이지만, 인성을 망가트리는 도구임에는 틀림없다. 편리함과 세계의 정보를 몇 초도 안 되어 알 수 있으니 세계는 하나가 되고 생활이 편리해진 것은 긍정적인 사실이다. 그러나 그들의 등장은 앞에 언급했듯이 인간을 기계화 하고 뇌를 파괴하는 악한들이 도사리고 있는 부분이 있으니 좋은 것만은 아니다. 지정의의 균형이 잡힌 성숙한 이들에게는 긍정의 편리함으로 유익한 것이나 미성숙한 어른과 아이들에게는 선별해서 볼 수 없으니 독이 될 수밖에 없다.

이 시대는 옛날보다 과학문명이 급속도로 발달한 탓에 개개인이 경험으로 만나는 것보다 매스컴과 컴퓨터를 통해 마왕과 그 잔재들과의 만남이 일상으로 되어있다. 옳고 그름의 판단이 흐려지고 인성이 험악해져 간다. 남녀 노소 빈부 유·무식을 막론하고 선과 악 사이에서 자유로울 수 없다. 인간은 양심이라는 보편적인 단어를 잘 알고 있지만 양심에 화인을 맞으면 옳고 그름이 마비된다. 그래서 지구촌의 악의 세력은 날로 더 기승을 부리며, 인간의 영은 성령과 악령 사이에서 방황하며 살고 있다.

선악과를 이브에게 따 먹게 한 사악한 뱀이 마왕의 대부란 생각이 들면서, 선악의 분별을 확실하게 파악하며 마왕과 그 잔당들에게 잠시도 틈을 주지 않기 위해서는 가정과 사회에서 어릴 때부터 주의 깊게 교육을 시켜야 되는데, 요즘은 많은 가정이 부부가 같이 생활일선에 나서니 아이들은 유아원이나 유치원에서 자라고 집에서는 부모의 부재로 방치상태로 노출되어 있는 가정이 많아 필요악 박스에서 나름의 기쁨을 찾으며 시간을 보내다 보니 마의 잔당들이 어린 영들을 혼탁하게 만들어 뇌를 망가트리고 있다.

아름다운 우주의 운행, 조물주의 예술 작품을 경이로운 눈으로 바라보며 하늘과 땅 사이 숲 속에서 뛰어 노는 어린 아이들의 모습을 상상하니 이 시대의 청소년, 어린이들이 너무도 가엾다는 생각에 이 글을 쓰면서 슈베르트의 '마왕' 가곡이 귀에 생생히 들리는 듯하다. 이 시대에 살고 있는 청소년이 화려한 가면을 쓴 마왕과 그 잔당들의 모습이 어두운 마의 집단인 것을 확실하게 알아 그들을 배척할 수 있는 능력과 지혜가 있기를 바란다.

오늘은 1981년 여름

『사계』 표지 사진

동경의 여름밤이 깊어간다.

남편이 아르바이트를 하는 것을 만류했지만 내가 낮에 심심하다고 출판사에서 일을 하겠다 하니, 남편은 마지못해 승낙했다. 그 후 남편은 언제나 묻는 말이 있다.

"오늘도 바빴지 피곤하지 않아."

"아무렇지 않아. 오늘은 마음이 조금 힘들었지만."

"왜."

"사장이라는 사람이 나보고 일이 느리다고 빨리 하라고 언성을 높이며 말해 한마디 해줄까 하다가 참았어. 일본 아주머니들은 더 느리게 하는데 말이야."

"잘 참았어, 그 일은 그만두고 거류민단 아이들 한국말 가르치는 것만 해도 되잖아."

"아니, 귀국할 때까지 할래."

"알아서 하구려."

두런두런 이야기하고 있는데 아래층 주인이 부른다. "김 교수님, 밤참 먹으러 갑시다" 한다.

"12시가 다 되었는데 무슨 밤참, 못 간다고 해요."

"잠시 다녀올게 먼저 자구려."

'이곳의 야식 문화 때문에 주인아저씨가 스모선수같이 뚱뚱한가 보다'라고 생각하며 남편이 틀어놓고 간 쇼팽의 Nocturn(야상곡) 제2번을 감상하며 잠이 들었다. 남편은 내가 이 곡을 즐겨 치고 있는 모습을 항상 봐왔기 때문에 잠들기 전, 가끔 틀어준다. 마치 자장가를 들려주듯이 이 곡이 너무 좋아 학창시절에는 다 외우고 쳤었는데 지금은 악보를 보고도 겨우 친다.

초가을이다.

연휴가 며칠 있어 후지산과 교도 여행을 다녀와 쉬고 있는데 출판사 사장이 전화를 했다. "조 선생님과 남편 김 교수님을 내일 밤 초대하고 싶은데 오실 수 있는지요?" 나는 속으로 이 사람이 웬일일까 생각하며 남편에게 물었다. 남편은 "간다고 하구려"라고 한다.

다음날 우리는 사장 가족과 만나 예상 밖의 즐거운 시간을 보냈다. 출판사 사장의 오만한 태도는 간데없고 연속으로 일본사람 특유의 상냥한 인사가 계속됐다. 갑작스러운 초대는 알고 보니 사장 아들이 동경대학교 공대에 재학 중이어서 남편이 교환교수로 동경대학에 있는 것을 알게 됐고, 나에게 사장이 함부로 대한 것을 미안하게 생각하고 초대했던 것 같았다.

사장이 잠시 나에게 함부로 대했던 태도를 개의치 않고 묵묵히 일했던 모습에 사장 부인은 부끄러웠던지, 부인은 자기 남편의 성격이 신경질적이어서 속상하다고 하소연했다. 나는 사장의 태도가 '아직도 저들이, 우리나라가 일본의 속국으로 아나' 싶었는데 온유한 부인의 교양으로 봐서는 사장의 성격 탓으로 생각하니 잠시 기분 나빴던 것은 조금 해소가 되었다.

주말에는 마쓰모도 원로교수에게 지휘법을 레슨 받는

날이다. 학창시절에 잠시 나운영 교수에게 기초를 배우고, 곽상수 교수가 이끄는 성종합창단에서 그분의 지휘하는 모습을 유심히 눈여겨보았다. 학교에 재직 중에, 교회 찬양대에서 지휘를 연이어 해온 터라 이곳에 온 김에 격주로 6개월 레슨을 받고 있는 중이다.

마쓰모도 교수가 지적하기를 "경직된 지휘는 안 됩니다. 자유하십시오. 단원들의 소리를 끌어내고 아름다운 흐름을 만들기 위해서는 지휘자의 폼은 소용이 없습니다"라고 했다.

레슨 받고 오는 날은 언제나 남편이 자기가 노래하고 자기 앞에서 지휘를 해보란다. 얼마나 음악을 좋아하는지 집에 있는 날은 종일 다다미방에서 오페라나 교향곡을 볼륨을 높이 틀어 놓고 감상을 하니 아래층 주인은 가끔 올라와 조용히 틀어달라고 부탁을 한다.

그뿐 아니다. 슈베르트와 슈만의 가곡을 좋아해 원어로 직접 나를 지도한다. 남편이 지도를 하기 시작한 것은 독창회 준비를 하면서다. 나는 독창회를 해야겠다는 생각은 꿈에도 해 본 적이 없는데, 남편은 결혼과 동시에 잊을만하면 "당신, 독창회는 꼭 해야 해. 당신 음색이 얼마나 고운데"라고 말하며 계속 독촉한다. 나는 어이가 없었다. 나는 건성으로 알았다는 대답만 연이어 하다가 남편의 권유로 약 3년 준비하고 이곳에 오기 전 제1회 독창회를 하고 왔다. 귀국한 다음 제2회 독창회를 또 하라고 한다. 이번에는 R. Schumann(슈만)의 Liederkreis, Op. 39의 12곡 전곡을 1부에 하라며 계속 연습시킨다. 낮에는 아르바이트, 밤에는 노래 연습을 하다 보니 지나치게 여위었다.

내 앞에는 1983년 5월 17일 화요일 제2회 독창회 Program이 놓여있다. 이걸 보면서 잠시 행복한 시간에 빠졌다.

1981년 동경에서

비발디의 사계, 겨울

겨울 f단조

이른 새벽 아파트 경비원의 음성이 들린다. “춘삼월에 웬 눈이 이렇게 펑펑 퍼붓는지.” 나는 창밖을 내다봤다. 아직 깜깜하지만 경비들의 눈길 쓰는 모습이 보인다. 길가와 정원 사이사이에 꼬마 외등이 이곳저곳 있어, 그 불빛이 반딧불처럼 보여 쌓인 흰 눈과 여름이 어우러진 듯한 새벽풍경이 장관이다.

내 방은 2층 창가에 있어 언제나 집 옆 야산이 시야에 들어오는 수만 평의 사계절을 보며 살고 있어 감사하다. 또 황혼에 서 있는 나와 겨울이 맞물려 있어, 비발디의 사계

겨울을 조용히 틀어놓고 감상하는 이 새벽시간이 싱그럽다.

제1악장-Allegro non molto (빠르게 그러나 지나치지 않게)

이 곡을 감상할 때마다 종로에 있었던 르네상스 뮤직홀이 생각난다. 그곳은 언제나 학생들로 초만원이다. 어느 날, 첼리스트 김인수 교수를 초빙해 비발디의 사계 해설을 들으며 감상했다. 교수님은 큰 키에 이국적인 얼굴, 부리부리한 눈이 특징이었다. 사계를 감상하기 전의 선생님의 해설은 지금까지도 생생하게 들리는 듯하다.

"차가운 눈 속을 벌벌 떨며, 휘몰아치는 강력한 바람을 향하여 사람이 걷고 있는데, 혹독한 추위에 제자리걸음을 하며, 덜덜 떨리는 이를 감당 못합니다. 이 악장의 내용을 비발디는 세밀하게 표현했습니다.

4회의 투티(tutti, 같이 합주하는 말, 연주자가 같이 참가하라는 말) 사이에 3회의 솔로가 삽입되어 있습니다. 1투티는 눈 속에서 추위에 떨고 있는 사람을 표현했고, 2투티는 제자리걸음을 표현했습니다. 3투티에서는 처음 멜로디를 재현한 후, 제3 솔로가 추위에 이가 덜덜 떨리는 모습을 표현했고, 최후의 투티가 3투티를 재현하여 유니크한 악장을 마무리했습니다."

제2악장–Largo (아주 느리게)

김인수 교수의 2악장 해설은 간단했다. "겨울 속에 비 내리는 장면을 상상해보세요." 그 말씀을 남기고 부랴부랴 나가셨다.

나는 겨울답지 않게 촉촉이 비가 내리는 장면을 생각하며, 벽난로 앞에 앉아 창밖을 보며 사색에 잠겨있는 나의 모습을 그려 보았다. 그 당시 모습은 감상실에서 감상하는 학생들이 모두 철학자인 양 턱을 오른손으로 받히고 심각하게 앉아있는 모습이었다. 그리고 비 내리는 명동 거리를 오가며 공연히 걸었다. 그것이 습관이 되었는지, 이 황혼에도 비 내리는 날이면 가끔 명동 거리를 배회하며, 지금은 식당이 된 '돌체 음악 감상실' 건물 앞에 서서 추억 속에 빠진다.

2악장의 멜로디는 평온하고 아름다운 독주 바이올린이 온화하고 매력적인 선율을 낭랑하게 연주한다. 이것이 받쳐주는 합주부의 제1, 제2 바이올린이 촉촉하게 내리는 비를 묘사한 부분이 너무 아름다워, 밑에 악보 부분을 소개한다.

제3악장– Allegro–Lento–Allegro (빠르게–느리게–빠르게)

이 악장의 구성은 겨울을 자유롭게 표현했다. 얼음 위를 넘어지지 않으려고 걸어가는 모습과 넘어지면 다시 일어나서 힘찬 기세로 달려가는 모습의 표현이 잘 되어있다. 남풍과 북풍이 불어오는 바람들의 싸움을 격렬한 음형(몇 개의 음이 연속하여 어떤 가락이나 악곡의 요소가 되는 음의 모양)을 이어받은 마지막 합주가 겨울 전체를 당당하게 마무리한다. 음의 흐름도 구체적이다. 자연과 인생의 마지막 같은 내용으로 이루어지지 않고 기쁨으로 마무리하는 악장이다.

자연의 봄, 여름, 가을, 겨울은 그때마다 당당하다. 슬퍼하거나 노하지도 않는다. 수없는 희로애락의 시간 속에서도 절망하지 않고 조물주가 계획하신대로 순종하며 흘려보낸다. 인간도 순종하는 자연을 닮았으면 얼마나 좋을까.

창밖은 아직도 눈이 내린다.

나는 이 아침 새삼, 비발디가 1703년에 사제로 임명되었는데 얼마 지나지 않아 제단을 왜 떠났는지 그 이유를 찾아보았다. 태어날 때부터 고통받았던 병(천식) 때문일 것이라는 추측뿐이다. 그래서인지 '사계'는 신의 위대함에 대해 서술하지 않고 자연찬미에 집중했다는 것이다. 그 당시(18세기) 회화에서도 자연찬미의 감정만을 표현했다는 것이다. 그러나 나는 비발디가 신의 위대함을 왜 배제하고 작곡했는지 알 수 없지만 그의 내면에는 겨울을 마감할 때, 겨울 전체를 당당하게 마무리했다는 점에서 겨울이 지나면 또 봄이 온다는 확신 때문에 당당한 마무리를 했을 것이라는 생각을 했다. 그리고 그는 인생의 마감 뒤에는 '거룩한 성' 천국을 향하는 것을 자신했기에 아름다운 곡의 끝을 장식했을 것이라고 상상해 본다.

비발디의 사계를 감상하며 계절마다의 특징과 악장마다의 특징을 마무리하면서 나의 추억과 생각을 그려보았다. 그리고 위대한 이 곡을 통해, 고대 그리스의 의학의 아버지라고 불리는 히포크라테스가 남긴 말, '인생은 짧고 예술은 길다'라는 명언이 생각났다.

삶은 스스로의 작품이다

『새 생명, 기적』 표지 사진

나는 왜 단순하게 살고 있는 것일까. '나는 바보인가' 생각해 본다. 조금 수긍하는 부분이 있다. '나는 이기적인가' 생각해 본다. 나를 위해서 타인에게 해가 안 되는 범위 내에서 때로는 이기적이다. '걱정을 걱정하지 않은 나는 멍청이인가' 생각해 본다. 걱정한다고 해결될까.

나에게 던지는 이런 질문은 끝이 없다.

프랑스의 작가 - 라 로슈프코는 "현명한 사람은 큰 불행을 작게 처리하고, 어리석은 사람은 조그마한 불행도 현미경으로 확대하여 스스로 큰 고민 속에 빠져들어 간다"라고 말했다.

돌이켜보니 내 영육의 평안을 위해, 주님의 말씀을 기초로 하여 사는 것이 습성이 되었다. 나 자신의 인생이란 작품을 끊임없이 고치며 만들어간다.

새 생명, 기적

중국 동북지방 쯔핑(사평) 역은 피비린내와 피난 행렬로 엉켜있다. 패망한 일본인의 참상은 눈 뜨고 볼 수 없다. 중국인들의 분노와 함성이 하늘을 찌른다. 피난 행렬 속에 끼어있는 일본인들을 색출해서 몽둥이로 때리고 발로 차며, 오랫동안 억압받았던 한을 푸는 장면이 참혹하다. 9월 하순, 우리 가족도 그 행렬 속에 끼어 떨고 있다. 완장을 찬 감독이 우리 앞으로 다가오며 "아니, 이것들 또 나왔네"라며 밀쳐낸다. 그들은 어제도 그제도 우리를 의심하며 돌려보냈기 때문에 기억하고 있다.

우리가 의심을 받는 것은 '마쓰모도' 아주머니 때문이다.

그녀의 남편은 전사하고 홀로 이웃에 살고 있는데, 그녀는 우리가 조선인임을 알면서 우리 가족에게 특별히 잘 해주었다. 아이들이 많아 일손이 달리는 엄마 일을 도와주며 엄마와 언니 동생처럼 지냈다. 그녀는 가끔 일본은 '침략자'라고 말하며 자기 나라 정치인들을 욕하곤 했다.

1945년 8월 15일 정오, 일본 천황의 떨리는 음성이 방송을 통해 울렸다. "일본은 항복했습니다." 방송이 끝나기가 무섭게 그녀가 달려온다. 그녀는 무릎을 꿇고 "도요야마 선생님 도와주세요"라며 애원한다. 그 후 동네는 '기쁨의 함성'과 '비명의 소리'가 뒤섞여 어지러웠다.

아버지는 해방의 기쁨과 동시에 두려움의 시간을 모면할 방법을 엄마에게 알려주고 있다. "여보 러시아 군인들이 젊은 여자들을 닥치는 대로 끌고 간대"라며 엄마 얼굴에 먹물을 갈아 손바닥에 묻혀 이리저리 바르며 얼굴을 씻지 말라고 한다. 그때 엄마 나이는 30세였다.

며칠 후 한밤중에 난폭하게 문을 두드리는 소리가 난다. 쥐 죽은 듯이 있었지만 문은 이내 부서지고 러시아 군인들이 총을 겨누며 들어온다. 그들은 큰 배낭을 메고 군화를

신은 채, 아버지에게 총을 겨누며 들어왔다. 동생들과 나는 무서워 정신없이 울었고, 8월 5일에 태어난 갓난아기도 "응아응아" 큰소리로 울었다. 아버지는 "가래스께 가래스께"(조선인)를 되풀이하며 호주머니에서 손목시계 두 개를 꺼내어 그들에게 준다.

그들도 인정은 있었는지 시계를 받기 전부터 그 중 한 명이 동생을 달래고 있었다. 나중에 안 일이지만 그들은 시계를 주면 좋아하니 준비하고 있다가 위급할 때 쓰라고, 니시하라 아저씨가 말해 주었다고 한다.

그들은 방에 앉아 갈 생각도 안 하고 배낭에서 식빵을 꺼내어 먹으며 우리들에게도 주었다. 얼마 후 그들은 이웃집 문을 부수고 들어갔다. 그 집은 마쓰모도 아주머니가 혼자 살고 있는 집인데 때마침 그녀는 우리 집 다락방에 숨어있었다.

다음 날 우리는 그녀와 함께 역에 갔다가 조선사람인데도 마쓰모도 아주머니와 함께 있어서 일본인 취급을 받아 쫓겨 돌아왔다. 아버지와 엄마는 옥신각신 말다툼을 했다. 인정에 끌려 우리도 고국에 돌아가지 못하면 어떻게 하느냐는 것이다. 그녀는 그런 상황을 알면서도 우리만 의지한다. 어느 날, 잠시 자기 집에 다니러 갔다가 결국 러시아 군인들에게 끌려갔다. 아주머니의 비명 소리가 지금도 들리는 듯하다.

오늘은 세 번째 고향으로 돌아가기 위해 역에 나갔다. 엄마는 마쓰모도 아주머니의 집을 향해 “미안합니다”라며 지난밤 그녀의 비명소리를 생각하며 슬퍼하는 것 같았다.

일본인을 색출하는 역의 감독이 우리 앞에 오자마자 아버지는 열심히 “우리는 조선 사람입니다”라며 몇 번씩 설명을 한다. 엄마도 조선 옷을 입고 애원한다. 엄마는 아가를 업고 산후조리를 못해 얼굴이 퉁퉁 부어있다.

6남매의 맏딸인 나도 엄마와 함께 계속 애원했고, 어린 동생들의 큰 울음소리는 상황을 유리하게 만들었다.

그들은 고개를 갸웃갸웃하며 의심의 눈으로 계속 쏘아본다. 피가 마르는 순간이 이어진다. 나는 정신없이 기도했다. “오늘은 꼭 통과하게 해 주세요.” 하나님을 부르며 내가 믿는 하나님께 전심으로 기도했다.

내가 하나님을 알게 된 것은 초등학교 2학년 때, 중국

흑룡강성 치치하얼에서 살 때다. 아버지가 일본 회사에 다녔기 때문에 우리는 그들과 함께 회사 사택에서 살았다. 일본 아이들은 중국 아이들이나 조선 아이들을 보면 "조센징 만징" 하며 돌팔매질을 하고 놀려댄다. 그곳에 사는 부모들은 그것이 불안해서 우리말을 쓰지 않아 아이들은 대부분 우리말을 못했다.

주말이 되면 모르는 아저씨들이 두세 명씩 다녀간다. 그즈음 남자들은 머리카락을 빡빡 깍고, '센또보'라고 하는 모자를 쓰고 다녔는데, 그들은 머리카락이 길고 '찌꾸'라고 하는 기름을 바르고 다녔다. 연극인으로 가장한 독립운동을 하는 아저씨들이란 것을 나중에 알았다.

'치치하얼' 시는 겨울 내내 영하 20도에서 35도 사이를 맴돈다. 황사바람까지 불면 콧구멍만 남기고 얼굴 전체를 싸고 보안경을 쓰지 않으면 다닐 수가 없다. 길은 겨울 내내 빙판이다. 교통수단은 역마차나 인력거인데, 역마차는 말이 미끄러질 것을 우려해서 말 발바닥에 못이 박힌 쇠판을 박는다.

어느 주일 아버지는 나만 데리고 집을 나서며 "교와 니찌

요비다요"(오늘은 일요일이다)라고 말하며, 말 두 필이 이끄는 역마차를 타고 흰 눈 덮인 광활한 들판을 달려간다. 어쩌다 보이는 나뭇가지 위에는 어린이 시체가 가지와 가지 사이에 걸쳐 놓은 나무판 위에 누워있다. 겨울이어서 썩지 않아 냄새는 안 나지만 여름에는 썩어서 땅에 떨어지면 개와 돼지 떼들이 모여들고 냄새가 진동한다. 그들은 아이가 죽으면 불효를 했다고 이런 방식으로 장례를 치렀다.

한참을 달려가니 초라한 농촌이 멀리 보인다. 우리는 동네에 가기 전 중도에서 내렸다. 나는 아버지 손에 이끌려 말없이 따라갔다. 아버지 행동이 이상하다는 생각을 하면서. 나중에 안 일이지만 중도에서 내린 것은 우리가 가는 곳을 마부가 알게 될 것을 염려해서 그런 것이다.

눈이 쌓인 벌판을 걷는 것은 너무 힘이 들었다. 아버지는 마음이 급했는지 나를 업고 빠른 걸음으로 걸으며 동네 입구에서 나를 내려놓고 "아쓰이"(덥다)라고 말하면서 땀을 닦는다. 얼굴에서 김이 무럭무럭 난다. 그날 온도는 영하 25도였다.

어느 집 앞에 다다른 순간, 중년의 남자가 잽싸게 문을 열어주며 우리를 안내한다. 그곳에는 아이들 5, 6명을 포함해서 40명 정도의 사람들이 모여 있었다. 우리를 본 그들은 아버지를 '도요야마'라고 부르지 않고 "조 선생, 어서 오세요"라고 반긴다.

예배가 시작되었다. 무슨 찬송을 불렀는지 기억이 안 난다.

잠시 후 목사님은 일본 말로 "여러분, 오늘은 예수님이 나신 크리스마스입니다"라고 말하며 재미있는 동화같이 이야기해 주었다. 이상한 것은 '니시하라' 아저씨도 아버지 옆에 앉아있다. 나중에 알고 보니 그곳은 교인들과 독립운동을 하는 사람들의 '밀실교회'였다.

아버지는 독립운동 자금을 조달하는 역할을 하고 있었다. 아버지는 돌아오는 길에 "요시꼬 여기 온 것을 비밀로 해야 한다. 누가 알게 되면 큰일 나니까." 나는 "엄마도 안 돼요?"라고 물었다. "엄마는 돼." 그 비밀은 지켜지고, 몇 달에 한 번씩은 엄마하고도 다녔다.

얼마 후 아버지가 치치하얼에서 가까운 사평(쯔핑)으로 직장을 옮기게 되었다. 그리고 2년 후 8·15 해방이 되고, 오늘 고향으로 가기 위해 이 행렬 속에서 절실한 기도를 드리고 있다.

"하나님! 통과하게 해 주세요. 하나님 도와주세요." 어디에선가 "조 선생" 하는 소리가 들린다. 이게 웬일일까. 기적이 일어났다. 그때, 아버지와 내가 밀실교회에서 알게 된 목사님이 우리 앞에 서 있다. 감독은 목사님을 잘 아는지 깍듯이 인사한다. 목사님은 감독에게 우리가 조선인이라는 말을 해 주셨다. 우리는 압록강까지 갈 수 있는 열차에 올랐다.

주님과의 '만남'으로 '새 생명'을 얻었고, 목사님과의 만남으로 고향으로 돌아갈 수 있는 '기적'을 이루었다.

한국의 전통 옷으로 곱게 단장한 아름다운 여인의 가야금과 색소폰의 크리스마스 캐롤 연주가 새롭고 싱그럽다. 마이크를 든 어린이와 이국의 큰 누나 노래를 들으며, 색동옷 입은 자매의 즐거운 표현이 하트로 이어진다. 하늘색 드레스를 입은 꼬마는 흥에 겨워 춤춘다. 크리스마스트리 앞에 앉아 감상하는 꼬마는 마냥 즐거운가 보다.
첫돌, 한복으로 단장한 아기와 흑백사진 꼬마와 아저씨는 누구일까?

"지구촌 어린이와 청소년들이여! 메리 크리스마스."

케드로스 콰이어 정기연주회(제6회 찬양의 밤)

아이온 케드로스 콰이어 창단 기념연주회
(경기여고 100주년 기념관)